KB101755

틈만 나면 보고 싶은
융합 과학 이야기

기차가 궁금해!

틈만 나면 보고 싶은 융합 과학 이야기
기차가 궁금해!

초판 1쇄 발행 2015년 12월 25일
초판 2쇄 발행 2016년 12월 27일

글 최원석 | **그림** 윤유리 | **감수** 구본철

펴낸이 이욱상 | **창의1실장** 강희경 | **편집장** 김영미 | **책임편집** 윤선미
표지 디자인 김미정, 이소연 | **디자인** 디자인끌레 | **본문 편집** 김익선, 구름돌(문주영, 이현경, 김홍비, 홍진영)
사진 제공 유로크레온, 두피디아 포토박스, PNAS

펴낸곳 동아출판㈜ | **주소** 서울시 영등포구 은행로 30 9층
대표전화(내용 · 구입 · 교환 문의) 1644-0600 | **홈페이지** www.dongapublishing.com
신고번호 제300-1951-4호(1951. 9. 19.)

ISBN 978-89-00-38932-6 74400 978-89-00-37669-2 74400 (세트)

* 이 도서의 국립중앙도서관 출판사도서목록(CIP)은 e-CIP 홈페이지(http://www.nl.go.kr)에서 이용하실 수 있습니다.

* 잘못된 책은 바꾸어 드립니다.
* 책값은 뒤표지에 있습니다.

틈만 나면 보고 싶은
융합 과학 이야기

기차가 궁금해!

글 최원석 그림 윤유리
감수 구본철(전 KAIST 교수)

동아출판

추천의 말

미래 인재는 창의 융합 인재

이 책을 읽다 보니, 내가 어렸을 때 에디슨의 발명 이야기를 읽던 기억이 납니다. 그때 나는 에디슨이 달걀을 품은 이야기를 읽으면서 병아리를 부화시킬 수 있을 것 같다는 생각도 해 보았고, 에디슨이 발명한 축음기 사진을 보면서 멋진 공연을 하는 노래 요정들을 만나는 상상을 하기도 했습니다. 그러다가 직접 시계와 라디오를 분해하다 망가뜨려서 결국은 수리를 맡긴 일도 있었습니다.

지금 와서 생각해 보면 어린 시절의 경험과 생각들은 내 미래를 꿈꾸게 해 주었고, 지금의 나로 성장하게 해 주었습니다. 그래서 나는 어린 학생들을 만나면 행복한 것을 상상하고, 미래에 대한 꿈을 갖고, 꿈을 향해 열심히 도전하고, 상상한 미래를 꼭 실천해 보라고 이야기합니다.

어린이 여러분의 꿈은 무엇인가요? 여러분이 주인공이 될 미래는 어떤 세상일까요? 미래는 과학 기술이 더욱 발전해서 지금보다 더 편리하고 신기한 것도 많아지겠지만,

우리들이 함께 해결해야 할 문제들도 많아질 것입니다. 그래서 과학을 단순히 지식으로만 이해하는 것이 아니라, 세상을 아름답고 편리하게 만들기 위해 여러 관점에서 바라보고 창의적으로 접근하는 융합적인 사고가 중요합니다.
나는 여러분이 즐겁고 풍요로운 미래 세상을 열어 주는, 훌륭한 사람이 될 것이라고 믿습니다.

동아출판 〈틈만 나면 보고 싶은 융합 과학 이야기〉 시리즈는 그동안 과학을 설명하던 방식과 달리, 과학을 융합적으로 바라볼 수 있도록 구성되었습니다. 각 권은 생활 속 주제를 통해 과학(S), 기술공학(TE), 수학(M), 인문예술(A) 지식을 잘 이해하도록 도울 뿐만 아니라, 과학 원리가 우리 생활을 편리하게 해 주는 데 어떻게 활용되었는지도 잘 보여 줍니다. 나는 이 책을 읽는 어린이들이 풍부한 상상력과 창의적인 생각으로 미래 인재인 창의 융합 인재로 성장하리라는 것을 확신합니다.

전 카이스트 문화기술대학원 교수 구본철

◖ 작가의 말 ◗

여러분에게 기차 여행이란?

19세기 초 영국 최고의 낭만주의 화가인 윌리엄 터너는 증기 기관차 속의 도감을 〈비와 증기와 속도-그레이트 웨스턴 철도〉라는 그림으로 표현했어요. 이 그림에서 터너는 자연을 개척하기 위한 인간의 숭고한 노력의 상징물로 기차를 그렸지요.

프랑스의 인상파 화가인 클로드 모네는 〈들판의 기차〉라는 그림을 통해 근대의 상징인 기차와 중세의 전원적 풍경을 잘 조화시켜 표현했어요. 모네에게는 중세와 근대를 구분하는 기준이 바로 기차라고 할 수 있어요.

영화 〈해리 포터와 마법사의 돌〉의 주인공 해리 포터와 만화 영화 〈은하철도 999〉의 주인공 철이에게 기차는 자신의 꿈을 실현시켜 줄 새로운 세상으로 데려다주는 안내자였지요.

오늘날 우리에게 기차는 무엇일까요? 단지 원하는 곳으로 빠르게 데려다주는 우리들의 발일 뿐일까요? 기차는 겨우 200여 년밖에 되지 않은 교통수단임에도 많은 사람들의 꿈과 희망을 싣고 다니는 문화의 상징이 되었고, 우리들 삶의 한 부분인 소중한 발이 되었어요. 아마도 미래의 기차는 자동차나 비행기의 특징을 지닌 새로운 교통수단으로 발전하게 될 거예요.

이 책에서 미래와 기찬이는 한국철도기술연구원에 다니는 삼촌과 함께 KTX를 타고 부산으로 가요. 그러면서 삼촌과 함께 기차에 대한 과학, 기술, 공학, 인문, 예술, 수학에 대한 지식을 알게 되지요.

기차는 우리가 보고 싶은 곳으로 빠르게 데려다주며 우리의 삶을 좀 더 편리하게 이어 주고, 어딘가로 떠나는 시간을 즐겁게 해 주어요. 꿈과 희망, 그리고 즐거움까지 주는 기차 여행을 꿈꾸며 이 책을 읽어 보세요.

최원석

차례

3장 기차 여행을 하고 싶어

4장 궁금한 기차의 모든 것

1장

기차는 어떻게 달릴까?

KTX 타러 서울역으로

"엄마, 제 모자 보셨어요?"

"엄마, 내 수영복 어디 있어요?"

여기는 미래와 기찬이네 집이에요. 오늘은 미래와 기찬이가 부산에 있는 할머니 댁에 가는 날이에요. 난생 처음 KTX를 탄다는 생각에 미래와 기찬이는 설레는 마음으로 짐을 챙겼어요.

"얘들아, 나 왔다!"

"와, **삼촌이다.**"

미래와 기찬이를 데리고 할머니 댁까지 같이 가 줄 삼촌이 왔어요. 삼촌은 한국철도기술연구원에 다니고 있는 **기차 박사**예요.

"너희들! 삼촌 괴롭히지 말고 잘 따라가야 해!"

엄마가 잔소리를 늘어놓으려 하자 기찬이가 얼른 말했어요.

"엄마, 걱정 마세요."

삼촌과 미래와 기찬이는 대중교통을 이용해 시간에 맞춰 서울역에 도착했어요. 삼촌이 서둘러 표를 끊었어요.

셋은 전광판에서 14시 35분 출발의 부산행 KTX가 3번 플랫폼으로 들어온다는 것을 확인하고 **쏜살같이** 플랫폼으로 내려갔어요.

조금 뒤, 플랫폼에 **날렵하게** 생긴 기다란 KTX가 미끄러지듯 들어왔어요. 미래와 기찬이는 삼촌을 따라 KTX에 올라탔어요.

기찬이는 KTX 안을 이리저리 두리번거렸어요.

호기심 많은 미래는 자리에 앉자마자 삼촌에게 기차에 대해 궁금했던 질문들을 쏟아 냈어요.

"삼촌, 기차는 어떻게 움직여요? KTX랑 기차는 뭐가 달라요?"

"우리 미래가 기차에 대해 많이 궁금했구나. 기차에 대해 알려면 그 전에 먼저 자석과 전기에 대해 알아야 한단다."

"자석과 전기요?"

"그래. 차근차근 알려 줄게. 잘 들어 봐."

"네, 삼촌!"

미래와 기찬이는 삼촌의 말에 귀를 쫑긋 세우고 듣기 시작했어요.

자석은 쇠붙이를 끌어당겨

"우선 자석 이야기부터 해 볼까? 옛날 사람들은 지구가 둥글다는 사실을 몰랐어. 그래서 배를 타고 멀리 나가면 낭떠러지로 떨어지거나 거대한 자석 산이 있어서 배의 쇠못이 모두 붙어 배가 침몰한다고 믿었어."

삼촌의 진지한 설명에 기찬이가 웃으며 말했어요.

"킥킥. 거대한 자석 산이라고요? 너무 **엉뚱한** 상상이에요."

"물론 지금 생각하면 우습지만 쇠를 끌어당기는 '자철광'을 보면 자석으로 된 거대한 산이 있다고 생각할 수도 있지. 자철광은 자석의 성질을 가진 철로 된 광물인데, 자철광으로 만든 천연 자석은 항상 자석의 성질을 띠기 때문에 영구 자석이라고 해."

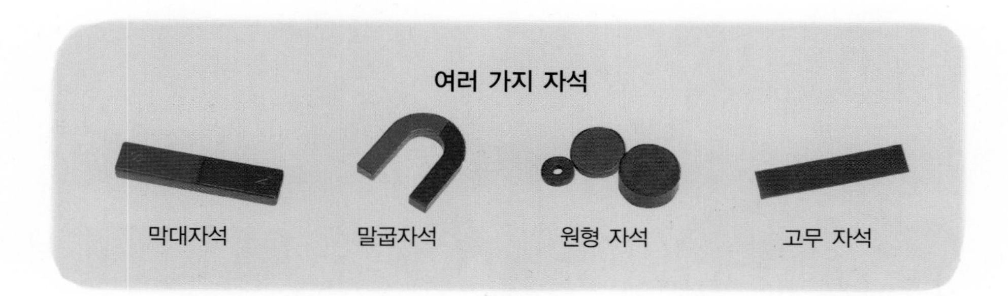

갑자기 삼촌의 설명을 가로막고 미래가 말했어요.

"영구 자석, 저도 알아요. 막대자석, 말굽자석이 영구 자석이에요."

"그렇지. 미래가 잘 알고 있구나. 우리 주변에는 다양한 모양의 자석이 있어. 어떤 모양의 자석이라도 항상 N극과 S극을 가지고 있지."

"삼촌, 고무 자석에는 아무런 표시가 없던 데요?"

잠자코 있던 기찬이가 물었어요.

"표시만 없을 뿐 N극과 S극을 가지고 있어. 모든 자석은 같은 극끼리는 서로 미는 힘인 척력이 작용하고, 서로 다른 극 사이에는 끌어당기는 힘인 인력이 작용해. 이렇게 자석 사이에 작용하는 힘을 자기력이라고 하고, 자기력이 미치는 공간을 자기장이라고 불러."

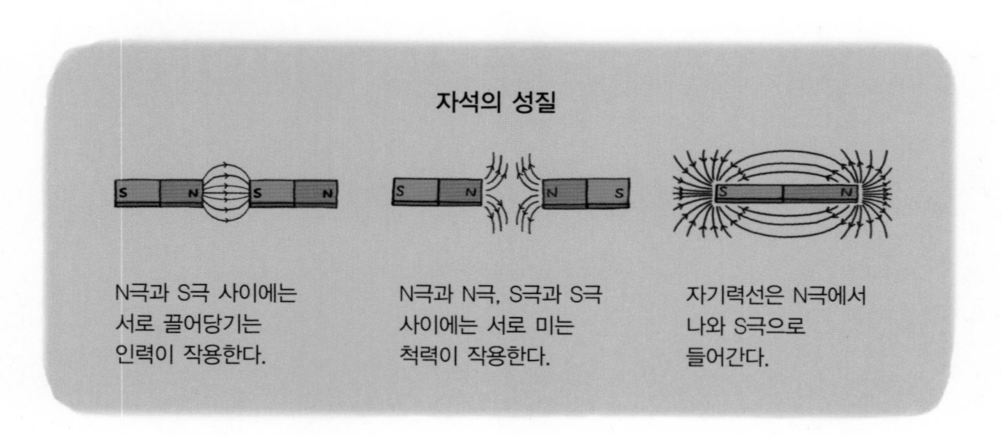

자석은 아무리 잘게 쪼개도 깨진 조각들은 모두 N극과 S극을 띤다.

"삼촌, 모든 자석은 진짜 N극과 S극이 있어요? 그런데 자석을 계속 작게 쪼개면 결국 두 개의 극으로 분리되지 않나요?"

기찬이가 머리를 갸우뚱하며 질문했어요.

"뭐, 그렇게 생각할 수도 있겠구나. 하지만 자석은 아무리 잘게 쪼개도 항상 N극과 S극을 가진단다. 심지어 원자 상태까지 쪼개도 N극과 S극은 동시에 나타나. 그러니 자석을 쪼개면 계속 N극과 S극이 번갈아 나타나지. 그런데 막대자석을 부수어 가루로 만든 다음 비닐봉지에 넣으면 어떻게 될까? 그때도 철이 붙을까?"

삼촌의 질문에 기찬이가 재빨리 대답했어요.

"자석은 쪼개도 쪼개도 자석의 성질을 지니고 있으니 가루가 된 자석에도 철이 붙을 것 같아요."

"아니란다. 자석을 가루로 만들어서 봉지에 넣어 뒤섞으면 자석의 성질이 나타나지 않아."

"네?"

기찬이와 미래는 놀라며 합창하듯이 대꾸했어요.

"가루 하나하나는 자석이 맞지만 무질서하게 배열되면 자기력이 사라져. 삼촌이 신기한 걸 알려 줄까?"

기찬이와 미래가 호기심 가득한 얼굴로 삼촌을 바라보았어요.

"자석으로 가루를 정렬시키면, 자기력을 잃은 자석 가루들이 다시 자석의 성질을 찾는다는 거야. 못이 자석을 가까이하면 순간적으로 자석이 되었다가 자석을 치우면 자석의 성질을 잃어버리는 것도 이 때문이야."

자기 영역이 무질서하게 배열되어 자석의 성질이 없다.

자기 영역이 한쪽 방향으로 늘어서며 자석의 성질을 띤다.

지구가 거대한 자석이라고?

"기찬아, 자석을 발견한 옛날 사람들은 자석으로 무엇을 했을까?"

"자석을 붙여 놓을 냉장고가 없으니 메모지를 붙이는 데는 사용하지 않았을 것 같아요."

기찬이의 재치 있는 대답에 삼촌은 크게 웃으며 말했어요.

"옛날에 자석의 가장 큰 용도는 나침반이었어. 나침반의 바늘이 바로 자석이야. 영화 〈캐리비안의 해적〉 보았니? **해적**들이 먼 바다로 항해하기 위해 지도와 나침반을 사용하는 모습이 나오지. 15~16세기에 신대륙을 찾아 떠난 유럽 사람들이 필수적으로 챙겼던 것도 지도와 나침반이었어. 나침반이 없으면 바다에서 길을 잃을 수 있어. 그 때문에 나침반을 고장 낸 선원은 무시무시한 형벌을 받았지."

"삼촌, 나침반 바늘의 N극은 항상 북쪽을, S극은 항상 남쪽을 가리키죠? 왜 항상 같은 방향만 가리켜요?"

나침반 바늘은 자석으로 되어 있어 N극은 항상 북쪽을 가리킨다.

기찬이의 질문에 미래가 자신만만한 표정으로 답했어요.

"그건 지구가 하나의 거대한 자석이기 때문이야."

"맞아. 지구는 북극이 S극을, 남극이 N극을 띠는 하나의 **거대한** 자석이야. 그래서 나침반 바늘의 N극이 항상 북쪽을 가리키는 거야. 그런데 말이야, 나침반 바늘이 북쪽을 가리키기는 하지만 정확한 북쪽은 아니야."

기찬이는 나침반이 정확한 북쪽을 가리키지 않는다는 삼촌의 말에 깜짝 놀랐어요.

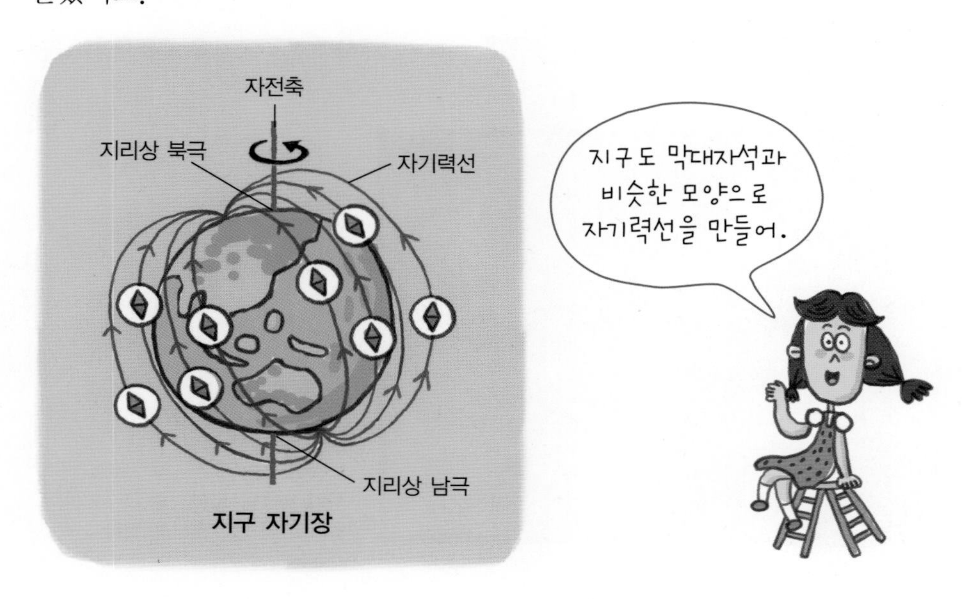

"뭐라고요? 그럼 나침반이 있어도 바다에서 길을 잃을 수 있는 거예요?"

"하하하, 아니야. 실제로 나침반의 바늘이 가리키는 북극은 북쪽이긴 한데, 지도의 북극과 일치하지 않아서 그래. 지리상의 북극은 자기장이 아닌 지구의 자전축을 기준으로 하기 때문이야."

"그럼 바다에서 정확한 방향으로 항해하려면 나침반 바늘이 가리키는 북극과 지리상의 북극 사이의 차이를 알아야겠네요?"

미래의 말에 삼촌은 기특하다는 듯 미래의 머리를 쓰다듬었어요.

"그렇지! 또 지리상의 북극, 곧 북극점은 시간이 지나도 변하지 않지만 자석이 가리키는 북극, 즉 자기 북극은 해마다 조금씩 변해. 지난 100년 동안은 1년에 약 10km씩 이동했고, 1970년 이후부터는 1년에 약 40km씩 이동하고 있어."

"왜요?"

기찬이가 질문하자 삼촌은 갑자기 당황하더니 말을 더듬었어요.

"어, 어, 그 이유는……. 아직 못 밝혀냈어. 과학자들은 지구 내부의 어떤

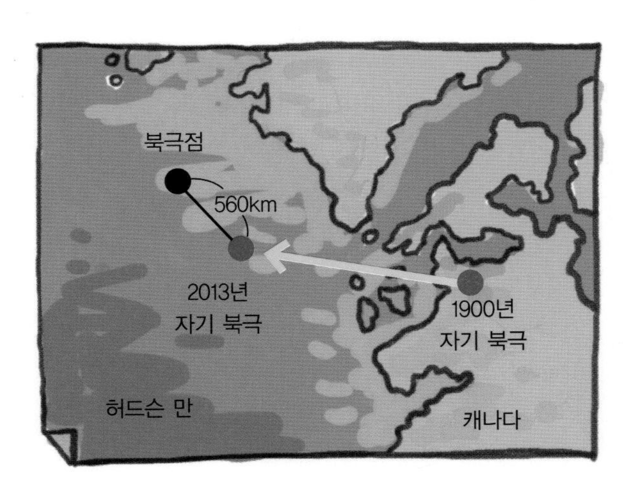

1900년에는 캐나다 북부에 있던 자기 북극이 점점 이동해 지리상의 북극과 거리를 좁히고 있다.

변화가 지구 자기장에 영향을 준 게 아닐까 생각하고 있지."

삼촌은 민망한지 머리를 긁적였어요. 그러고는 얼른 화제를 돌렸어요.

"애들아, 과거에는 자석의 가장 큰 용도가 나침반이라고 했지? 오늘날에는 어디에 자석이 사용되고 있을까?"

"필통 뚜껑이나 냉장고 문에 붙이는 병따개, 냉장고 문에도 사용돼요."

냉장고 문 안쪽의 테두리에는 고무 자석이 있어서 냉장고 문이 잘 닫히도록 해 준다.

"엄마의 핸드백 단추도 자석이에요."

미래도 지지 않고 자석이 쓰이는 곳을 얘기했어요.

"모두 잘 알고 있구나. 하지만 그보다 중요하게 쓰이는 데가 있어. 바로 정보를 기록하는 데 쓰이고 있지."

"**우아,** 자석으로 정보를 기록한다고요?"

"그래. 신용 카드, 통장 뒤쪽에서 흑갈색 줄을 본 적 있을 거야. 이 줄은 자기 기록 장치인 자기 테이프인데 아주 작은 자석 가루로 만들어. 자기 테이프에 전기적 신호를 주어서 정보를 넣어. 그래서 기계에 카드나 통장을 넣으면 자기 테이프에 전류가 흘러서 저장된 정보를 읽을 수 있어."

전기를 처음 발견했어

"우리 이제 전기 이야기를 해 볼까? 전기는 누가 발견했을까?"

미래와 기찬이가 모두 모르겠다는 표정을 짓자 삼촌이 말했어요.

"전기는 고대 그리스의 철학자 탈레스가 호박을 닦다가 발견했어."

"호박을 닦다가요? 호박과 전기가 무슨 상관인가요?"

"어이구, 여기서 호박은 먹는 호박이 아니라 보석의 종류잖아."

미래가 잽싸게 기찬이를 놀렸어요. 그러자 삼촌이 껄껄 웃었어요.

"그렇지. 호박은 누런색을 띠는 보석인데, 탈레스는 털가죽으로 호박을 닦다가 호박에 먼지가 달라붙는 걸 봤어. 털가죽과 호박 사이에 마찰 전기가 생겨서 호박에 먼지가 붙은 것이지."

"마찰 전기요?"

"응. 마찰 전기는 서로 다른 두 물체를 마찰할 때 생기는 전기야. 마찰 전기를 이해하려면 원자에 대해 알아야 해."

원자의 구조

삼촌이 설명하려는데 미래가 나서서 아는 것을 줄줄 말했어요.

"삼촌, 저 알아요! 물질은 모두 원자핵과 전자로 이루어진 원자로 되어 있어요. 원자핵은 (+)전기를 띤 양성자와 아무런 전기를 띠지 않는 중성자로 되어 있고, 전자는 (−)전기를 띠어요."

"놀라운걸? 미래가 깊이 있는 것까지 알고 있구나. 보통 물체는 양성자와 전자의 수가 같아서 전기를 띠지 않지만 물체를 마찰하면 상황이 변해."

삼촌은 손수건을 꺼내서 스마트폰의 액정 화면을 닦으며 말했어요.

"양성자보다 가벼운 전자가 다른 물체로 이동하거든. 그러면 전자를 잃은 물체는 양성자가 더 많아져 (+)전기를 띠고, 전자를 얻은 물체는 전자가 많아져 (−)전기를 띠게 돼. 그래서 마찰 전기가 생겨."

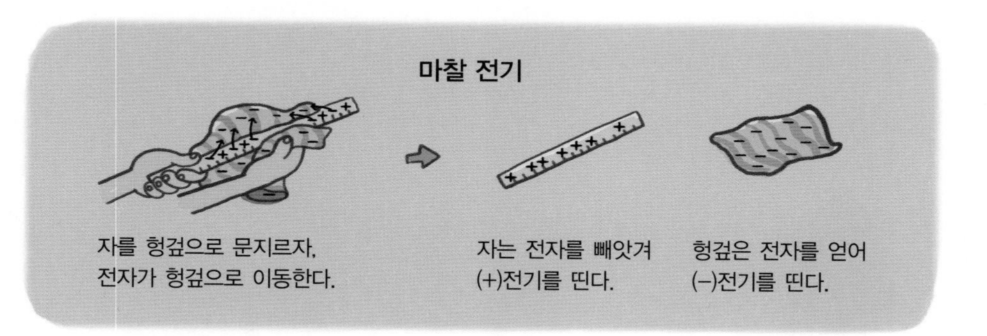

"아, 그렇구나."

"마찰 전기는 일상생활에서 쉽게 관찰할 수 있어. 풍선을 머리에 문질러 본 적 있지? 그럼 머리카락이 풍선에 달라붙는데, 왜 그럴까?"

"서로 문질렀으니 좋아서 그런가?"

기찬이가 킥킥거리며 대답했어요.

"그럴 수도 있겠구나. 하지만 그건 머리카락의 전자가 풍선으로 이동해서 풍선은 (−)전기를 띠고, 머리카락은 (+)전기를 띠게 되어서 그런 거야. 서로 다른 전기를 띠니까 전기력이 작용한 것이지."

"삼촌, 왠지 자석이 서로 다른 극끼리 끌어당기는 것과 비슷해요."

"맞아. 역시 우리 미래가 똑똑하단 말이야."

삼촌의 칭찬에 미래가 어깨를 으쓱했어요.

"삼촌, 궁금한 게 있어요. 겨울에 깜깜한 곳에서 스웨터를 벗으면 머리카락이 달라붙고, 타닥타닥 불빛도 보여요. 이것도 마찰 전기예요?"

"그래. 불빛도 마찰 전기가 생기면서 일어난 전기 현상이야. 전자가 다른 물체로 이동하면서 전기를 띠는 걸 방전이라고 해. 이 방전이 공기 중에서 일어나 순간적으로 전기 불꽃이 생긴 것이지."

기찬이가 뜬금없이 옷을 열심히 문지르며 말했어요.

"히히, 옷을 문질러 생긴 불꽃으로 번개를 만들래요. 이제 난 **번개맨**이다!"

미래가 어이없다는 듯 피식 웃으며 말했어요.

"야, 작은 불꽃으로 어떻게 번개를 만드니?"

"하하하. 그 정도로 번개가 만들어지진 않지만, 번개도 방전으로 일어나는 전기 현상인 건 맞아. 미국의 과학자 벤저민 프랭클린이 비 오는 날 연을 날려서 번개가 전기 현상이라는 것을 증명했지."

"으악! 위험해요. 그러다가 번개를 맞으면 어떡해요?"

"맞아. 이런 실험을 하다가 목숨을 잃은 과학자도 있었지. 하지만 프랭클린은 운이 좋았어. 프랭클린은 번개의 정체를 알아낸 뒤 피뢰침을 발명했어. 피뢰침은 '번개를 피하는 침'이라는 뜻이지만, 사실은 번개를 끌어당겨 땅속으로 흐르게 해서 건물을 보호하지."

위대한 전지를 발명한 볼타

기차가 긴 터널 속을 지날 때였어요. 기찬이가 미래에게 장난을 쳤어요.

"난 괴물 프랑켄슈타인이다. 무섭지?"

"악! 깜짝이야."

미래가 소스라치게 놀라자 삼촌과 기찬이가 동시에 크게 웃었어요.

"얘들아, 그런데 프랑켄슈타인 이야기가 전기와 관련 있다는 걸 아니? 프랑켄슈타인 이야기는 이탈리아의 해부학자인 루이지 갈바니가 발견한 '동물 전기'에서 힌트를 얻어 쓴 소설이야. 1780년 어느 날 갈바니는 개구리를 해부하다가 재미있는 현상을 발견했어. 금속판 위에 죽은 개구리 다리를 메스로 건드리자 다리가 움찔하고 움직인 거야."

"으악! 좀비 개구리가 깨어난 건가요?"

"그럴 리가! 갈바니는 개구리 다리가 동물 근육에 흐르는 '동물 전기' 때문에 움직였다고 생각했어."

"전기뱀장어 같은 동물에게서 나오는 동물 전기요?"

"응. 하지만 그건 사실이 아니었어."

기찬이는 호기심이 생겨

삼촌에게 빨리 알려 달라며 재촉했어요.

"이탈리아의 과학자 알렉산드로 볼타는 개구리 다리가 움직인 건 금속판과 메스 사이에 전기가 흘렀기 때문이라는 걸 실험으로 밝혀냈어. 그리고 아연판과 구리판을 번갈아 쌓아 올리고, 그 사이에 소금물에 적신 종이를 넣어서 '볼타 전지'를 발명했어. 볼타 전지는 어디서든 쉽게 전기를 얻을 수 있는 획기적인 발명품이었지."

"하지만 소금물이 흘러나오거나 종이가 말라 버리면 쓸 수 없잖아요."

"맞아. 그래서 등장한 것이 건전지야. 건전지는 액체 상태의 화학 물질을 아연 통 속에 넣어 두기 때문에 밖으로 흘러나오지 않아."

"그래서 이름도 한자 '마를 건' 자를 써서 건전지라고 부르는 거죠?"

기찬이가 아는 체를 하자 삼촌이 고개를 끄덕했어요.

"오, 우리 기찬이가 한자까지 아네? 맞아. 오늘날에는 건전지 말고도 전지의 쓰임과 전기를 얻는 방법에 따라 충전지, 축전지, 연료 전지, 태양 전지 등 다양한 전지가 있어."

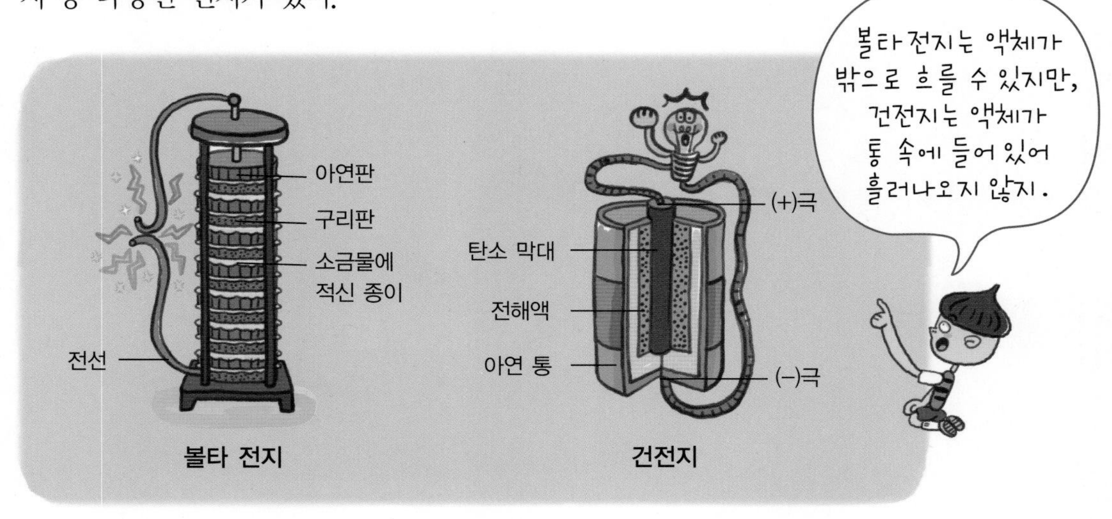

실험 볼타 전지 만들기

볼타는 갈바니가 발견한 동물 전기에 대한 사실이 틀렸다는 걸 밝혔다. 볼타는 갈바니의 주장에 의심을 품고 개구리 다리를 가지고 여러 번 실험했다. 그러다가 이상한 사실을 발견했다.

개구리의 한쪽 다리를 구리판에 대고 다른 쪽 다리를 철에 대었더니 개구리 다리가 움직인 것이다. 하지만 종류가 같은 금속에 개구리 다리를 똑같이 대면 다리가 움직이지 않았다. 볼타는 이것을 보고 개구리 다리가 움직인 것은 동물 전기 때문이 아니라 서로 다른 두 금속이 반응해서 생긴 전기라고 추측했다. 그러고는 아연과 구리를 이용해 볼타 전지를 만들어 전기를 얻는 데 성공했다. 볼타는 이 전지를 발명해 전기 화학 발전에 크게 이바지했다.

볼타 전지는 몇 가지 실험 도구로 간단히 만들어 실험해 볼 수 있다.

준비물

만드는 방법

① 비커에 음료수를 붓고, 음료수에 아연판과 구리판이 잠기도록 넣는다.

② 아연판과 구리판에 전선을 꽂고, 전선을 전압계와 연결한다.

③ 전압계의 눈금이 움직이는 것을 확인할 수 있다.

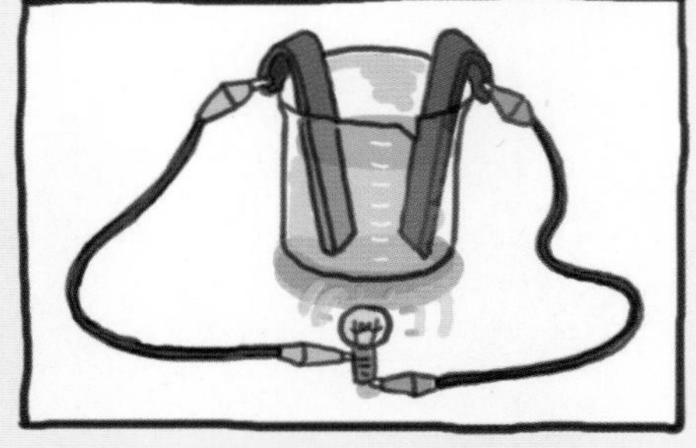

④ 전압계 대신 LED 전구에 전선을 연결하면 전구에 불이 들어온 것을 확인할 수 있다.

외르스테드의 우연한 발견

"너희들은 전기와 자기가 어떤 관계가 있다고 생각하니?"

"전기는 전지에서 얻고 자기력은 자석에서 얻으니까 별로 상관없어요."

기찬이가 **자신 있게** 대답하자 삼촌은 고개를 가로저었어요.

"오랫동안 과학자들도 기찬이처럼 전기와 자기는 상관이 없다고 여겼지. 그런데 1820년 덴마크의 물리학자인 외르스테드가 실험 도중 놀라운 발견을 했어."

"어떤 발견이요?"

"외르스테드는 전선에 전류가 흐르면 **열**이 발생하는 것을 보여 주는 실험을 하고 있었어. 그때 우연히 전선 주위에 있던 나침반 바늘이 흔들거린 거야. 전류가 흐르는 전선에 의해 바늘이 움직였다면, 그건 무슨 뜻일까?"

미래와 기찬이가 오랜만에 한목소리로 말했어요.

"전기와 자기는 서로 관련이 있어요."

"바로 그거야! 전류가 흐르는 전선 주변에 자기장이 생긴다는 것이지. 그때까지 사람들은 마찰 전기가 물체를 끌어당기고 자석이 쇠붙이를 끌어당긴다는 건 알았지만, 이것을 관련지어 생각하지는 못했어. 그러던 중에 외르스테드가 우연히 그걸 발견한 거야."

"우아! 진짜 행운이네요!"

"그런 셈이지. 이 소식을 들은 프랑스의 물리학자 앙드레 앙페르는 두 전선에 전류를 흐르게 하면, 두 전선이 마치 자석처럼 서로 밀거나 끌어당길 거라고 생각하고 실험을 해 봤어. 결과는 예상대로였지. 앙페르는 실험을 토대로 '오른나사의 법칙'을 고안해 냈어."

삼촌은 '오른나사'는 시계 방향으로 돌리면 앞으로 진행하는 나사를 말하고, '오른나사의 법칙'은 전선에서 전류가 오른나사가 진행하는 방향으로 흐르면 자기력선이 오른나사가 도는 방향으로 만들어진다는 원리 법칙이라고

앙페르의 오른나사의 법칙

설명해 주었어요.

"과학자와 발명가들은 전류가 흐르는 전선 주변에 생긴 자기장을 이용해서 재미난 것을 생각해 냈어. 그게 뭘까?"

삼촌이 수수께끼를 내듯 기찬이와 미래에게 물었어요. 둘은 눈을 동그랗게 뜨고 궁금한 표정으로 삼촌을 바라봤어요.

"바로 전자석을 만들어 냈지."

삼촌의 말에 미래가 번뜩 무언가가 생각난 듯 말했어요.

"삼촌, 전자석은 저도 학교에서 만들어 봤어요. 쇠못에 에나멜선을 많이 감아서 건전지에 연결하면 자석이 됐어요. 전류를 흐르게 할 때만 쇠못에 클립이 끌려와 붙는 것이 너무 재미있었어요."

"그렇지. 쇠못에 에나멜선을 감아서 만든 전자석 주변에 철 가루를 뿌려 보면, 막대자석과 비슷한 모양이 생긴다는 것을 알 수 있어. 전자석도 막대자석처럼 철을 끌어당기는 것이지."

그러자 미래가 말했어요.

"아, 영화 〈터미네이터〉에서 봤어요. 로봇이 전자석에 끌려가 철썩 붙더라고요."

"미래야. 네가 그 영화를 봤다고? 아직 그 영화를 볼 나이가 아닐 텐데."

삼촌이 미래를 나무라자 미래가 입술을 삐죽이며 말했어요.

"아빠랑 같이 봤으니까 걱정 마세요."

"하하. 알았다, 알았어. 영화에 나온 것처럼, 전자석은 전류의 세기를 조절하면 로봇뿐 아니라 자동차도 끌어당길 만큼 강력한 힘을 내. 폐차장이나 고철을 수집하는 자원 활용 센터에서 사용하는 커다란 기중기도 전자석을 이용한 거야. 하지만 전자석은 전류가 흐를 때만 자석의 성질을 가지지."

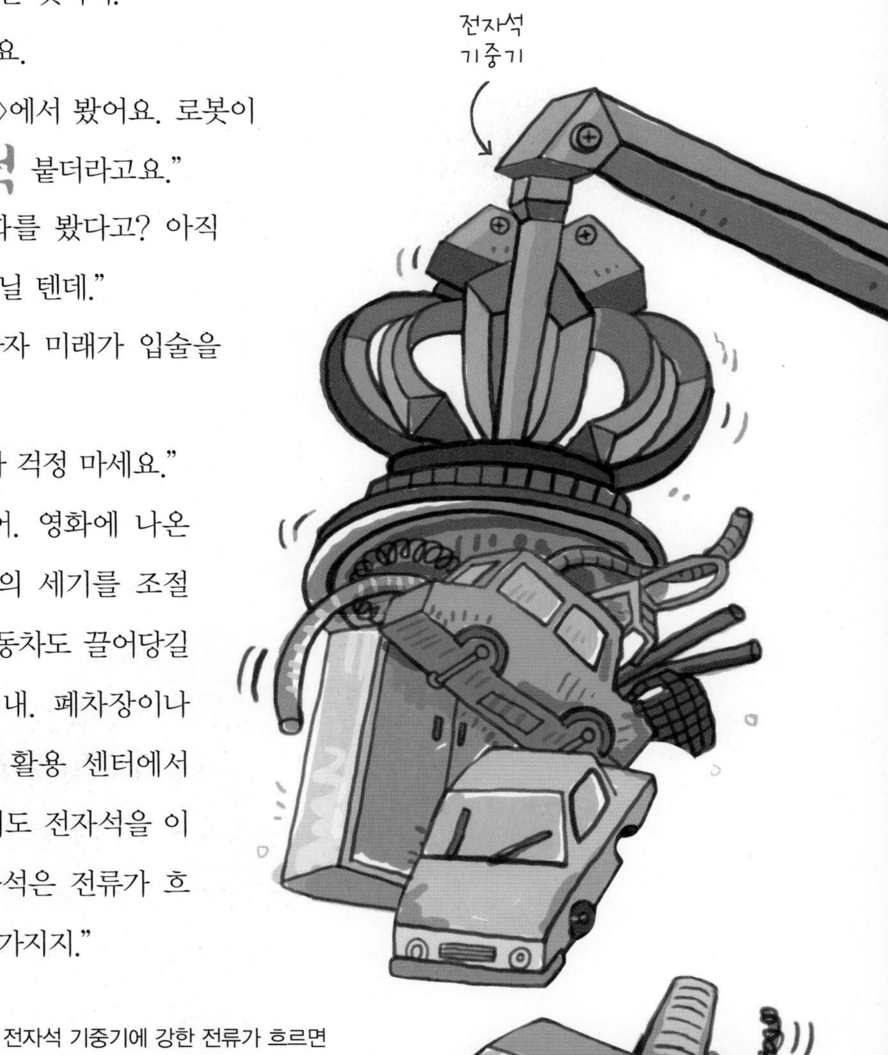

전자석 기중기에 강한 전류가 흐르면
무거운 쇠붙이도 거뜬히 들어올릴 수 있다.

자석으로 전기를 만든다고?

“삼촌. 전류가 흐르는 전선 주변에 자기장이 생긴다면, 자석 주변에도 전류가 생겨요?”

“우리 기찬이가 오랜만에 아주 좋은 질문을 했어.”

삼촌의 칭찬에 기찬이가 **우쭐하자** 미래가 못마땅해 피식거렸어요.

“외르스테드의 실험 소식을 들은 과학자들은 자석으로 전류를 만들 수 있을 거라고 생각했어. 영국의 물리학자 패러데이도 그중 하나였어. 패러데이는 한 코일에는 전지를 연결하고 다른 코일에는 검류계를 연결했어.”

“검류계가 뭐예요?”

“검류계는 전류가 흐르는지 확인하는 장치야. 패러데이는 두 개의 코일을 가지고 언제 전류가 흐르는지를 실험했던 거야.”

전선을 감아 만든 코일 안에서 자석을 움직이면 자기장이 변해서
코일에 전류가 흐르고 검류계의 바늘이 움직인다.

삼촌은 패러데이의 실험 얘기를 시작하며 목소리를 높였어요.

"패러데이가 전류를 흐르게 하자 검류계의 바늘이 흔들하더니 금방 멈췄어. 그리고 전류를 끊었더니 바늘이 다시 잠깐 흔들거렸어. 이걸 본 눈치 빠른 패러데이는 전류를 만드는 것은 자기장이 아니라 자기장의 변화라는 것을 알았지."

삼촌의 목소리는 점점 커지고, 말의 속도도 빨라졌어요. 삼촌을 힐끔힐끔 쳐다보는 사람이 있을 정도로요. 하지만 삼촌은 아랑곳하지 않았어요.

"그래서 패러데이는 자석을 코일 속으로 넣었다 뺐다 하는 실험을 했어. 자석을 움직여서 자기장의 변화를 계속 일으켜 본 거야. 그랬더니 코일에 전류가 흐르는 현상이 발견됐어. 패러데이가 실험에 도가 튼 사람이었기에 가능했지. 이걸 '전자기 유도 현상'이라고 불러. 이때 코일에 생기는 전류를 '유도 전류'라고 부르지. 패러데이의 이 발견은 인류의 역사를 바꾼 대발견이라고 할 수 있어."

삼촌은 패러데이가 눈앞에 있는 듯 두 손을 모으고 경의를 표시했어요.

"패러데이의 발견이 그렇게 중요해요? 단순히 **재밌는** 현상 같은데."

"어허! 삼촌 얘기를 다 들어보면 알 거야. 전자기 유도 현상을 이용해서 발전기를 만들기 때문이야. 발전기는 코일과 자석으로 이뤄졌는데, 코일이나 자석 둘 중 하나가 움직이면 코일에 전류가 유도돼 흘러. 이 발전기를 이용해서 전기를 만들지. 기찬아, 삼촌이 사 준 킥보드 잘 타고 있니?"

"네! 킥보드를 타면 바퀴에 **번쩍번쩍** 불이 들어와 정말 멋져요."

"그건 킥보드 바퀴 속에 발전기가 들어 있기 때문이야. 바퀴가 움직이면 자석이 돌아가며 코일에 전류가 흘러 불이 들어오는 거야."

"제 자전거 전등도 그런 거예요? 삼촌이 3년 전에 사 주신 자전거요."

미래가 '3년 전'을 강조하며 삼촌에게 물었어요.

"하하. 맞아. 자전거 전등에도 발전기가 들어 있어."

"삼촌, 근데 전등이 요즘 껌벅껌벅해요."

미래가 삼촌에게 뭔가 바라는 눈빛을 보내자 삼촌이 헛기침을 했어요.

"내가 졌다, 졌어! 다가오는 미래 생일에 새 자전거 사 줄게."

"야호! 신난다!"

"아무튼 패러데이가 전자기 유도 현상을 발견한 덕분에 우리가 오늘날 발전기를 만들게 됐어. 변압기도 마찬가지인데 그건 나중에 설명해 줄게. 전자기 유도 현상을 발견하지 못했다면 이 KTX도 움직일 수 없었어. 패러데이는 정말로 위대한 과학자야."

3학년 1학기 과학 2. 자석의 이용

자석과 자석 사이에는 어떤 힘이 작용할까?

A | 자석과 자석 사이에는 서로 끌어당기는 힘인 인력과 서로 밀어내는 힘인 척력이 작용한다. 같은 극인 N극과 N극, S극과 S극 사이에는 서로 밀어내는 힘이 작용한다. 그래서 철 가루를 자석과 자석 사이에 놓아두면 서로 밀어내는 모양으로 늘어선다. 그러나 서로 다른 극인 N극과 S극 사이에는 서로 끌어당기는 힘이 작용한다. 이때에는 자석과 자석 사이에 있는 철 가루가 부드럽게 연결되는 모양으로 늘어서는 걸 볼 수 있다.

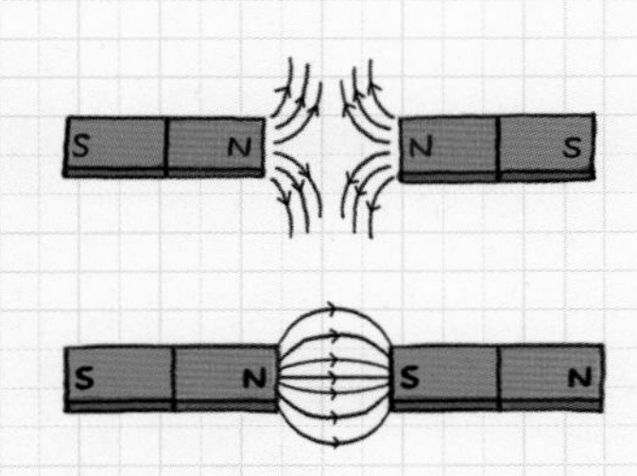

3학년 1학기 과학 2. 자석의 이용

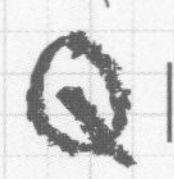

영구 자석과 전자석은 어떻게 다를까?

구분	영구 자석	전자석
같은점	• N극과 S극, 두 개의 극이 있고, 주위에 자기장이 생김. • 철로 된 물체를 끌어당김.	
다른점	• 항상 자석의 성질을 가짐. • 자석의 극을 바꿀 수 없음. • 자기장 세기를 조정하기 어려움	• 전류가 흐를 때만 자석의 성질을 가짐. • 전류의 방향이 바뀌면 두 극의 위치가 바뀜. • 자기장의 세기를 조정할 수 있고, 여러 모양으로 만들 수 있음.

볼타 전지의 원리는 무엇일까?

이탈리아의 물리학자 볼타가 아연판과 구리판을 번갈아 쌓아 올리고, 그 사이에 소금물에 적신 종이를 끼운 다음, 위와 아래에 전기를 통하게 하는 전선을 연결했더니 전선에 전기가 흘렀다. 이 원리를 이용해 만든 전지를 볼타 전지라고 한다.

최근에는 수소를 연료로 이용하는 수소 전지, 금속판에 태양 빛을 쐬게 하여 전류가 생기는 태양 전지, 방사성 원소를 이용하는 원자력 전지 등으로 발전했다.

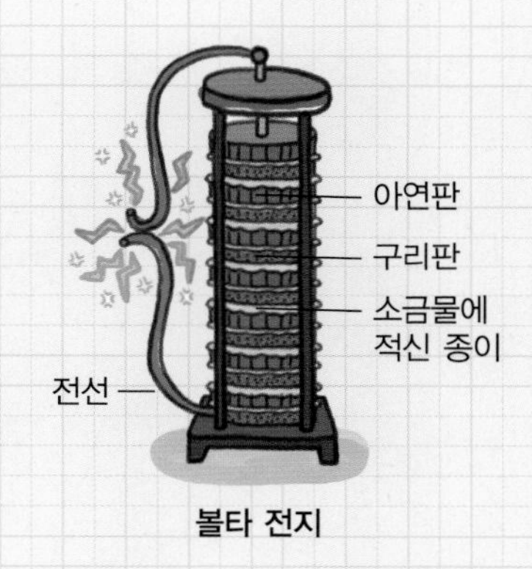

볼타 전지

누가 전기와 자기가 관련 있다는 걸 발견했을까?

1820년 덴마크의 물리학자 외르스테드가 전기와 자기가 서로 관계가 있다는 대단한 사실을 발견했다. 외르스테드는 전선에 전류를 흐르게 하자, 우연히 전선 근처에 있던 나침반의 바늘이 움직이는 것을 발견했다. 이것은 전류가 흐르는 전선 주변에 자기장이 생긴다는 것을 의미했다. 외르스테드는 또한 여러 번의 실험을 통해 전류의 방향을 바꾸면 나침반 바늘의 방향도 바뀌는 것을 발견했다. 즉, 전류의 방향이 바뀌면 자기장의 방향도 바뀐다는 것을 알아낸 것이다.

2장

기차가 변신하고 있어

KTX는 자석과 전기로 움직여

삼촌과 이야기를 하다 보니 어느새 KTX가 대전역에 도착했어요.

내리려고 문 앞에 미리 서 있는 사람들, 졸다가 깜짝 놀라 쏜살같이 달려나가는 사람들, 대전에서 타는 사람들로 KTX 안이 **북적댔어요.**

"어? KTX가 벌써 출발하네?"

KTX가 역에 도착한 지 채 1분도 되지 않은 것 같은데 출발한다는 기찬이의 말에 창밖을 보고 있던 미래가 말했어요.

"이기찬! 옆 기차가 출발하는 거잖아."

기찬이가 어리둥절해 다시 창밖을 보니 정말로 다른 기차가 움직이고 있었어요.

"어? 진짜 우리가 탄 KTX는 가만히 있네."

"기찬이는 삼촌 얘기가 재미가 없니? 그냥 빨리 출발해서 부산에 도착하고 싶은 거야? 착각을 할 정도로 말이야. 하하."

삼촌이 섭섭한 표정을 짓자 기찬이가 머리를 긁적이며 말했어요.

"신기해서 그런 거예요. 그런데 삼촌, 우리가 탄 KTX는 언제 출발해요?"

"KTX는 역마다 정차하는 시간이 달라. 보통은 1~2분 정도인데 사람이 많이 타고 내리는 서울역에서는 10분 정도 정차하지."

"10분이나요? 그럼 대전역은요?"

"대전역은 2분 정도. 그러니까 조금만 기다리렴."

그때 유심히 창밖으로 기차를 쳐다보던 미래가 삼촌에게 물었어요.

"그런데 삼촌, 아까부터 기차가 어떻게 움직이는지 알고 싶다고 했는데,

왜 어려운 자석과 전기에 대해서만 알려 주시는 거예요?"

"맞아요. 자석, 전기 그리고 패러데이 이야기만 계속해 주셨다고요. 궁금한 건 기차인데 말이에요."

투덜대는 미래와 기찬이를 보며 삼촌이 대답했어요.

"흠, 자석과 전기에 대해서는 이제 다 아는 거니? 이제 그 자석과 전기가 기차를 어떻게 움직이는지 알려 줄게. 또 기차의 역사랑 다양한 기차의 종류에 대해서도. 그건 너희들에게 아주 흥미로운 얘기일 거야."

"와, 기대돼요."

그때 KTX가 다시 대전역을 서서히 출발했어요.

증기 기관차에서 전기 기관차까지

"기차의 역사를 이야기하려면 최초의 기차가 무엇인지부터 알아야겠지?"

"최초의 기관차는 증기 기관차예요. 영화 〈해리 포터〉에서 봤는데, 마법 학교로 갈 때 증기 기관차를 타고 갔어요. 증기 기관차가 하얀 연기를 내뿜으며 **칙칙폭폭** 달리는데 정말 멋있었어요."

기찬이가 재빨리 대답하자 삼촌이 다시 물었어요.

"그렇다면 증기 기관차는 어떤 힘으로 움직일까?"

삼촌은 기찬이를 바라봤지만, 기찬이는 잘 모르겠다는 표정이었어요.

"증기 기관차는 석탄을 태워 물을 끓이고, 거기에서 나오는 증기의 힘으

로 움직여. 세계 최초로 증기 기관차가 운행된 건 1825년이야. 영국의 발명가 조지 스티븐슨이 만든 증기 기관차가 450명의 승객을 태우고 처음으로 철도 위를 **달렸지.** 그럼 그전에 교통수단은 무엇이었을까?"

"말이 끄는 마차요. 영화에서 본 적 있어요."

미래가 얼른 대답하자 삼촌이 "빙고"를 외쳤어요.

"마차가 지나다니는 거리를 상상해 봤니? 재밌을 수도 있지만, 말이 아무데나 오줌과 똥을 누는 바람에 거리가 엄청 **지저분했지.**"

삼촌의 말에 기찬이가 코를 막고 말했어요.

"웩. 거리에 똥과 오줌이 여기저기 있다니, 생각만 해도 더러워요."

삼촌이 빙긋 웃으며 말했어요.

"증기 기관차는 마차보다 깨끗하고, 빠른 속도로 많은 승객과 짐을 실어 나를 수 있어서 금방 마차를 대신하는 대중교통 수단이 됐어. 그런데 증기 기관차에도 문제는 있었어. 석탄을 연료로 사용했기 때문에 엄청난 매연을 뿜어냈거든. 그래서 증기 기관차를 타고 터널을 지나가면 승객들 얼굴에 검댕이 잔뜩 묻어서 검게 되기도 했지."

"**킥킥,** 승객들이 서로 얼굴을 보면 정말 우스웠겠어요."

"아마 그랬겠지? 그래서 디젤 기관을 쓰는 디젤 기관차가 등장하게 됐어. 디젤 기관차는 증기 기관차보다 힘이 강력했고, 연료인 경유의 가격도 저렴했어. 이후 증기 기관차는 서서히 사라져 갔지. 디젤 기관

루돌프 디젤이 1893년 경유를 태워서 나오는 힘으로 기계를 움직이게 하는 디젤 기관을 발명했다.

경기도 의왕시 철도 박물관에 전시되어 있는 디젤 기관차이다.

차가 훨씬 빠르고, 더 깨끗하니까 당연한 결과겠지?"

미래와 기찬이는 삼촌의 기차 발전 역사 이야기에 푹 빠져들었어요.

"디젤 기관차는 이후 개량되어 디젤 전기 기관차로 발전했어."

"우아, 드디어 전기가 기차 역사에 등장하네요."

미래가 기다렸다는 듯이 말했어요.

"그래. 전기를 쓰는 기차의 시대가 열린 거지. 하지만 완벽하게 전기만 쓴 건 아니야. 디젤 전기 기관차는 경유를 쓰는 디젤 기관으로 발전기를 돌려서 전기를 만들고, 그 전기로 모터를 작동시켜. 모터가 직접적으로 바퀴를 움직여 기차를 달리게 하지. 무궁화호가 대표적인 디젤 전기 기관차야. 그런데 최근에는 디젤 전기 기관차도 점차 줄고 있어. 왜 그럴까?"

"경유를 쓰니까 매연이나 온실가스와 같은 환경 문제 때문일 것 같아요."

"그렇지! 미래가 상식이 풍부하구나."

삼촌이 엄지손가락을 치켜세우자, 미래가 우쭐하며 말했어요.

"제가 좀 환경 문제에 관심이 많아서요."

"디젤 전기 기관차는 경유를 쓰지 않고 전기의 힘으로만 달리는 전기 기관차로 바뀌고 있단다. 우리가 타고 있는 KTX도 전기 기관차야. 사람들은 흔히 전기 기관차가 최근에 만들어졌을 거라고 생각하지만 그렇지 않아. 디젤 기관차보다 전기 기관차가 먼저 만들어졌단다. 1879년 독일의 지멘스 할스케라는 회사가 처음으로 소형 전기 기관차를 만들어 선보였지."

삼촌의 말에 기찬이가 깜짝 놀라 말했어요.

"1879년에 만들어졌는데 왜 빨리 쓰이지 않았어요?"

"그건 전기 기관차는 디젤 전기 기관차와 달리 기차 안에 발전기가 없고, 기차 밖에서 전기를 공급 받아야 했거든. 발전소가 건설된 후에야 전기를 밖에서 공급 받을 수 있게 돼 비로소 널리 보급되기 시작한 거야."

그때 삼촌 반대편에서 KTX가 윙 지나갔어요.

"기차가 달릴 때 기차 지붕 위에서 불꽃이 **타닥** 튀는 걸 본 적 있니?"

"네! 기차가 마치 불꽃놀이를 하며 달리는 것 같아요."

기찬이가 신이 나 대답했어요.

"하하. 그건 기차가 전기를 공급 받는 중이라서 그런 거야. 전기 기관차는 마름모 모양의 '팬터그래프'라는 장치를 통해 공중에 설치된 전선에서 전기를 공급 받아. 전선과 팬터그래프는 맞닿아 있지만 간혹 살짝 떨어질 때가 있어. 이때 불꽃이 튀는 거야."

"삼촌, 그럼 기차는 어디에서 전기를 공급 받나요?"

"당연히 발전소지. 넌 그것도 모르니?"

미래가 놀리자 기찬이가 치 하고는 고개를 돌렸어요.

"그렇단다. 발전소에서 345,000V의 전류를 만들어 보내 줘."

"**으악!** 345,000V요? 정말 엄청나네요."

미래가 깜짝 놀라자 삼촌이 웃으며 말했어요.

"응. 그래서 철도 선로 주변은 위험해. 조심해야 하지. 하지만 기차가 이 엄청난 전류를 그대로 받아 사용하는 것은 아니야. 아까 삼촌이 전자기 유도 현상을 이용한 것 중에 변압기가 있다고 했던 것 기억하니?"

"네! 나중에 말씀해 주신다고 했던 거 기억나요."

"변압기는 전류의 전압을 높이거나 낮추는 장치야. 변압기가 설치된 곳을 변전소라고 하는데, 발전소에서 보내는 엄청난 전류는 먼저 1차 변전소로 보내져. 여기서 한 번 전압을 낮추고, 철도 변전소에서 다시 한 번 전압을 낮춰서 기차마다 알맞게 전류를 공급해 주는 거야. 우리가 타고 있는 KTX는 25,000V의 전류를 공급 받고 있지."

"아, 그래서 삼촌이 패러데이를 존경하는구나. 전자기 유도 현상은 패러데이가 발견한 거잖아요."

전기 기관차의 전기 공급 과정

전기 기관차의 힘, 전동기와 발전기

"기차는 왜 전력을 공급 받아야 할까?"

"그거야 기차가 움직이려면 전기가 필요하기 때문이죠."

미래가 대답하자 삼촌이 다시 질문했어요.

"그럼 기차는 어떻게 전기로 움직일까?"

미래와 기찬이가 모두 멀뚱한 표정으로 삼촌을 바라봤어요.

"기차가 전기로 움직이는 데는 전동기와 발전기가 사용돼. 전동기는 다른 말로 모터라고도 하지."

"아! 생각났어요. 장난감 자동차 속에 들어 있는 게 모터예요."

"그래, 맞아. 장난감 자동차는 물론 전기로 움직이는 대부분의 기계에 전동기가 들어 있어. 전동기는 전류가 흐르면 빠른 속도로 돌면서 다른 기계를 움직이는 장치야. 전동기를 처음으로 만든 사람도 패러데이야."

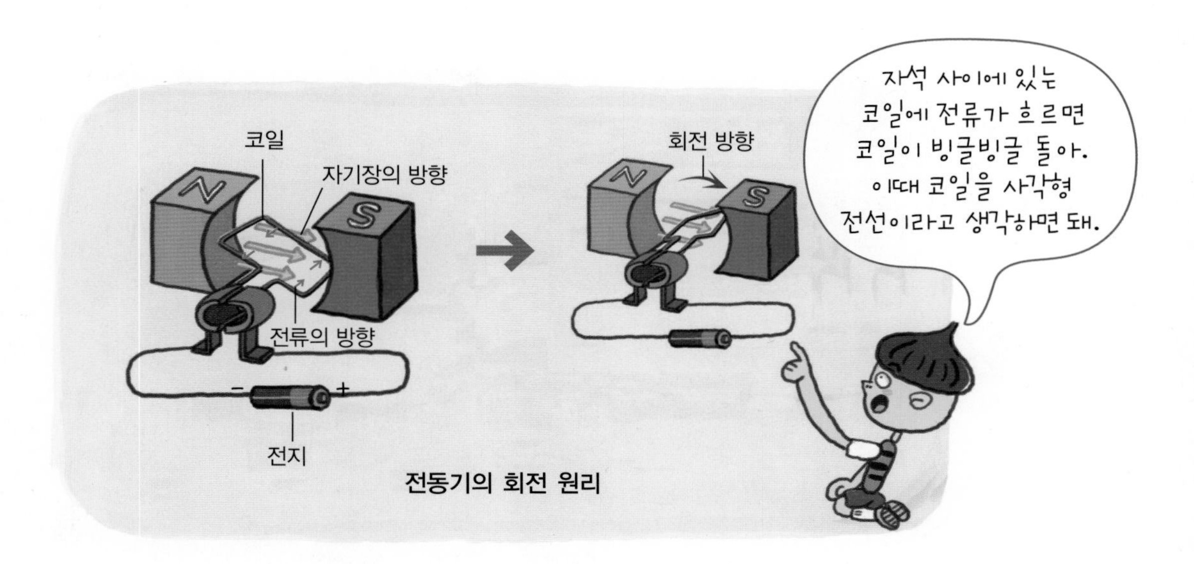

전동기의 회전 원리

패러데이의 얘기가 또 나오자 기찬이가 말했어요.

"우아, 또 패러데이. 정말 패러데이는 위대한 과학자인가 봐요."

"그래, 맞아. 그래서 삼촌이 패러데이를 **존경하는** 거야. 패러데이는 1821년 실험을 통해 고정된 자석 주변에 있는, 전류가 흐르는 전선이 빙글빙글 도는 걸 알아냈어. 또 전류가 흐르는 전선이 자석을 움직이게 할 수 있다는 것도 알아냈지. 이 실험을 하며 만든 장치가 최초의 전동기야. 이후 미국의 물리학자 조지프 헨리가 이것을 좀 더 발전시켜 기계를 돌리는 전동기를 만들어 냈어. 전동기는 코일과 자석으로 이루어져 있어. 두 개의 자석 사이에 코일을 넣은 후 전지를 연결해 코일에 전류를 흐르게 하면 코일은 **빙글빙글** 돌아."

"두 자석 사이에 자기장이 생겼기 때문인가요?"

"바로 그거야! 역시 미래구나. 전지를 연결해 전류가 흐르게 된 코일이 자기장 속에서 받는 힘 때문에 빙글빙글 돌아. 이것이 전동기야."

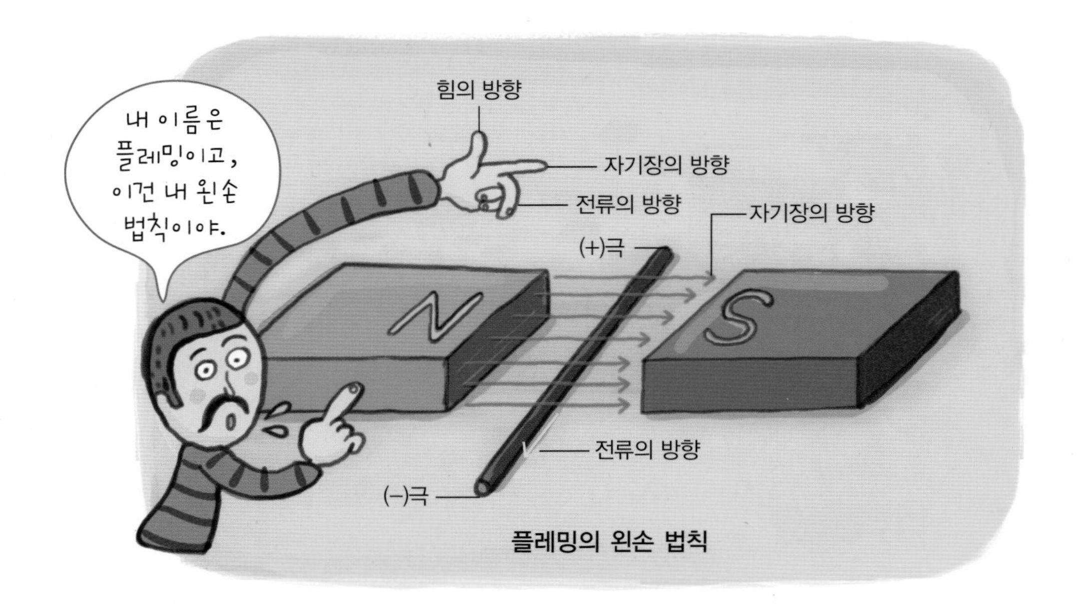

플레밍의 왼손 법칙

"삼촌, 코일은 시계 방향으로 돌아요? 아니면 반시계 방향으로 돌아요?"

"전동기의 회전 방향은 전류나 자기장의 방향에 따라 달라져. 전류나 자기장의 방향에 따라 힘의 방향도 달라지기 때문이지."

"힘을 받는 방향은 어떻게 알 수 있어요?"

미래가 삼촌의 얘기에 푹 빠져 계속 질문하며 답을 재촉했어요.

"그건 영국의 물리학자 존 플레밍이 발견한 '플레밍의 왼손 법칙'을 이용하면 쉽게 알 수 있어. 먼저 왼손의 세 손가락을 서로 직각이 되게 쫙 펴. 그리고 집게손가락이 자기장의 방향, 가운뎃손가락이 전류의 방향을 가리키도록 하면, 엄지손가락이 힘의 방향을 가리키게 되지."

"자기장의 방향이라면 N극에서 S극, 전류의 방향이라면 (+)극에서 (−)극을 향하도록 하면 되죠?"

미래가 삼촌의 말에 따라 전류의 방향을 손으로 표시해 보이자 기찬이가 웃으며 말했어요.

"히히, 마치 손가락이 총 쏘는 모양 같아요."

기찬이의 말에 삼촌과 미래는 모두 **한바탕 웃음**을 터뜨렸어요.

"삼촌, 발전기도 코일과 자석이 필요하다고 하셨잖아요. 전동기와 발전기는 어떤 차이가 있나요?"

삼촌은 다시 **진지한** 표정으로 돌아가 미래의 질문에 답했어요.

"전동기와 발전기는 구조가 거의 같아. 단지 전동기는 전기 에너지를 역학적 에너지로 변환시키고, 발전기는 역학적 에너지에서 전기 에너지로 변환시킨다는 차이가 있을 뿐이야."

전동기를 사용하는 기기들

실험 간이 전동기 만들기

준비물

만드는 방법

① 전지에 에나멜선을 10번 정도 감아 코일을 만든다. 코일이 풀리지 않게 양쪽에서 두 번 감고 2cm 정도 남기고 자른다.

② 사포로 한쪽 에나멜선 끝의 에나멜을 모두 벗겨 내고, 다른 쪽 끝은 에나멜을 아래쪽 반만 벗겨 낸다.

③ 클립을 펴고, 접착테이프로 판에 고정해 받침대를 만든다. 받침대에 코일을 올리고, 코일 아래에 네오디뮴 자석을 놓는다.

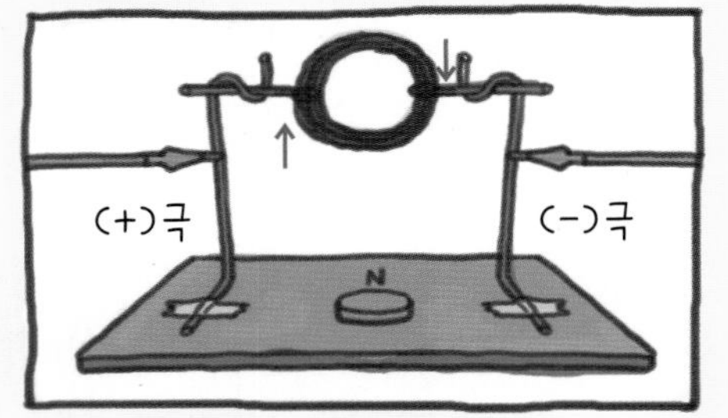

④ 전선의 한쪽 끝은 전지와 연결하고, 다른 쪽 끝은 받침대와 연결한 다음, 코일이 돌아가는지 관찰한다.

패러데이는 전기와 자기의 관계에 대해 많은 시간 동안 연구했다. 그 결과 패러데이는 전자기 유도 현상을 발견했고, 전동기를 발명했다. 간이 전동기는 패러데이가 발견한 전자기 유도 현상을 살펴볼 수 있는 간단한 실험이다.

간이 전동기에 전지를 연결하면 에나멜선에 전류가 흘러서 자기장이 생긴다. 이 자기장과 코일 밑에 놓인 자석의 자기장 사이에 서로 밀고 당기는 힘이 반복적으로 작용해서 코일이 뱅글뱅글 돌게 된다.

에나멜은 전선에 전류가 흐르지 않게 막을 씌운 것으로, 에나멜이 있으면 전류가 흐르지 않는다. 따라서 에나멜선의 에나멜을 반만 벗겨 내야 코일이 반 바퀴 돌 때마다 전류를 끊어 주어서 코일이 계속 같은 방향으로 돌게 된다. 즉, 코일의 자기장과 코일 밑에 놓인 자석의 자기장이 서로 밀어내는 힘에 의해 코일이 반 바퀴 돌아간다. 그러다가 에나멜이 벗겨지지 않은 곳이 받침대와 닿아서 전류가 흐르지 않게 된다. 하지만 코일은 같은 방향으로 계속 돌려고 하는 성질이 있어서 전류가 끊어진 뒤에도 반 바퀴를 더 돌게 된다. 그리고 다시 에나멜선에 전류가 흘러서 같은 방향으로 돌게 되고, 이것을 반복하면서 코일은 계속 한 방향으로 돌게 되는 것이다. 만약 에나멜선의 에나멜을 모두 벗겨 내면 코일은 돌지 않고 멈춘다.

실제 전동기에서는 전류를 계속 같은 방향으로 흐르게 하는 '정류자'라는 것이 있어서 코일이 계속 같은 방향으로 돌게 해 준다.

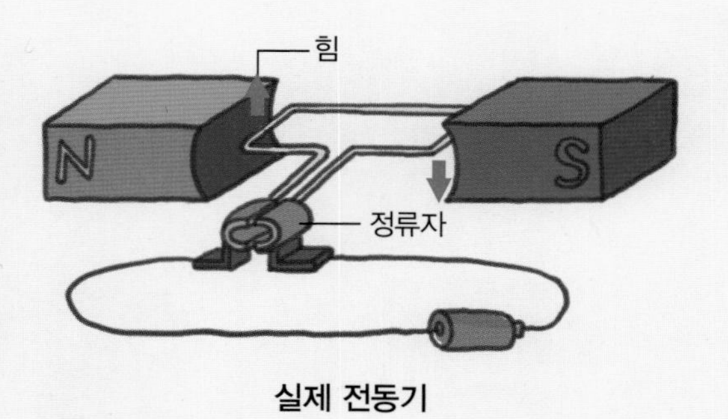

실제 전동기

기차가 멈출 때 에너지를 바꿔

“전동기와 발전기의 구조가 비슷하면 전동기로 전기를 만들 수 있어요?”

“삼촌, 바람으로 선풍기의 전동기를 돌리면 발전기처럼 전기를 만들 수 있어요?”

“우아! 우리 기찬이랑 미래 모두 창의적인 생각을 할 줄 아네!”

삼촌이 흐뭇하게 웃으며 말했어요. 그런데 둘은 티격태격했어요.

“에이, 누나는 내가 말하니까 따라 한 거예요.”

“아니야. 넌 선풍기가 발전기가 될 수 있다는 건 생각 못했잖아!”

“하하. 선풍기를 발전기로 만드는 건 원리상으로 가능하지만, 보통 그렇게 하지 않아. 얻을 수 있는 전기량이 너무 적거든. 하지만 KTX 같은 기차처럼 많은 에너지를 가진 경우에는 이야기가 달라.”

미래와 기찬이는 삼촌의 기차 이야기에 귀를 기울였어요.

"KTX는 덩치가 큰 만큼 엄청나게 많은 전기 에너지를 쓰고, 빠른 속력으로 달리는 만큼 엄청나게 큰 운동 에너지를 내. 그러다 역에 가까이 오면 속도를 줄여 멈춰야 해. 이때 기차는 자동차처럼 브레이크로 멈추면 에너지가 낭비돼서 주로 전동기에 들어가는 전기를 꺼. 그래도 기차는 바로 멈추지 않아. 운동 에너지가 공기 저항과 마찰에 의해 모두 열에너지로 바뀌어 사라진 다음에야 서지."

"아! 자동차가 끼익하고 멈추면 타이어가 타는 듯 고약한 냄새가 나고, 뜨거운 열도 나던데 운동 에너지가 열에너지로 바뀌어서 그런 거예요?"

삼촌이 고개를 끄덕하자 미래가 눈을 반짝였어요.

"KTX가 달릴 때 썼던 전동기를 멈출 때 발전기로 사용하면요? 그럼 열에너지로 사라지는 운동 에너지를 전기 에너지로 바꿔 쓸 수 있잖아요!"

"그게 바로 '회생 브레이크'야. '회생'은 죽어 가다가 다시 살아난다는 말인데, 사라지는 운동 에너지를 전기 에너지로 되살린다는 뜻으로 회생 브레이크라고 해. 회생 브레이크에 의해 만들어진 전기는 전선을 통해 주변의 기차에 공급되거나 변전소로 보내져 다시 사용된단다."

공중 부양 열차가 공중에 동동

삼촌이 잠시 화장실에 간 동안 미래는 창밖의 풍경을 보고 있었어요. 그 사이 기찬이는 꾸벅꾸벅 졸더니 잠이 들었어요. 삼촌이 화장실에서 막 돌아왔을 때였어요.

"으악, 안 돼!"

기찬이는 잠을 깨더니 하늘에 떠 있는 섬에서 떨어지는 꿈을 꿨다고 말하며 후 하고 숨을 내쉬었어요. 그때 미래가 불쑥 말했어요.

"삼촌, 거대한 자석이 있으면 섬을 띄워 하늘을 날게 할 수 있어요?"

미래의 질문에 기찬이도 흥미로운 듯 삼촌을 바라봤어요. 삼촌은 고개를 가로저으며 영구 자석으로는 불가능하다고 대답했어요. 미래와 기찬이는 믿기지 않는 듯 삼촌을 뚫어져라 쳐다봤어요.

"못 믿겠으면 한 번 해 보렴. 자석 두 개를 같은 극끼리 마주보게 해서 쌓으면 금방 한 자석이 돌아서 다른 극끼리 맞닿아 붙어 버릴 걸. 물론 방법이 하나 있기는 해. 자석을 고리 모양으로 만들어 막대에 끼우면 돼. 그럼 같은 극끼리 서로 밀어내서 공중에 떠 있지."

삼촌은 놀이공원에 있는 자이로드롭이 땅바닥에 뚝 떨어지기 직전 멈춰서 공중에 붕 뜨는 것이 자석의 성질을 이용한 거라고 했어요.

"삼촌, 그러면 공중 부양 자석 팽이는 어떻게 된 건가요?"

"팽이처럼 계속 회전한다면 영구 자석으로도 공중에 떠 있을 수 있어. 하지만 그렇게 **팽글팽글** 회전하는 섬에 살 수는 없겠지?"

"삼촌, 그럼 공중 부양 지구본은요? 그건 자석 팽이처럼 돌지 않고 공중에 멈춰 떠 있잖아요."

삼촌이 쉴 틈을 주지 않고 미래와 기찬이가 번갈아 물었어요.

"공중 부양 지구본은 전자석을 이용해 만들어. 지구본의 위와 아래에 극이 같은 전자석이 있어서 공중에 뜰 수 있는 거야. 마찬가지로 하늘에 띄울 섬을 거대한 전자석으로 만든다면 공중 부양하는 것이 가능할지도 몰라. 하지만 거대한 전자석에 전류를 흐르게 하면 많은 열이 발생하는 문제와 전류가 흐르지 않으면 바로 **추락하는** 위험이 있지."

"으악, 그건 제 꿈속의 장면과 같아요."

"하하, 너무 걱정하지 마. 그건 동화 속의 이야기일 뿐이야."

삼촌이 기찬이의 어깨를 토닥였어요.

"그런데 말이야, 기차를 공중 부양시키는 것은 가능해."

삼촌의 말에 기찬이가 **피식** 웃으며 말했어요.

"에이, 삼촌. 기차가 섬보다야 작지만 그래도 무거운데 어떻게 자석으로 띄워요?"

"맞아. 수백 톤이 넘는 기차를 공중에 띄울 만큼 강한 영구 자석을 만들지 않는 한 어림없지. 하지만 전자석을 쓰면 가능해. 전자석은 전류를 조절해서 자기력의 세기나 방향을 얼마든지 바꿀 수 있거든. 전자석으로 공중에 띄운 열차가 '자기 부상 열차'야. 보통 10mm 정도 떠 달리지."

기찬이는 공중 부양하며 달리는 기차가 있다는 얘기는 놀라웠지만, 고작 10mm 뜬다는 얘기에는 실망했어요. 삼촌은 기찬이의 기분을 눈치챘지만 **담담하게** 말했어요.

"기찬이가 바라는 대로 열차를 더 높이 띄우면 더 빨리 달릴 수도 있으니 정말 좋을 거야. 그런데 그러려면 더 강력한 전자석이 필요해. 이때 사용할 수 있는 것이 초전도 자석이야."

"초전도 자석이요?"

"초전도 자석은 초전도 현상을 이용해서 만들어. 초전도 현상은 금속의 온도가 일정한 온도로 내려가 전기 저항이 사라지는 현상이야. 전기 저항이 없으니 전류를 많이 흐르게 해도 열이 발생하지 않아서 매우 강한 자석을 만들 수 있지. 초전도 자석을 사용하면 열차를 10cm 이상 **붕** 띄울 수도 있어."

"우아! 10cm나요? 그럼 초전도 자석으로 공중 부양 열차를 만들면 좋겠어요. 공중에 떠서 가니 소음도 적고 속도도 엄청 빠르겠죠?"

기찬이는 벌써 초전도 자석을 이용한 공중 부양 열차를 타는 기대에 부풀었어요.

"그렇지. 초전도 자기 부상 열차는 장점이 많지만 아직 널리 활용되기에는 문제가 있단다."

"무슨 문제가 있어요?"

"음, 그건 초전도 현상이 매우 낮은 온도에서만 일어나기 때문이야. 그래서 물질의 온도를 낮춰 주는 액체 질소나 액체 헬륨을 써야 하는데, 이런 액체는 무척 비싸고 관리하기가 힘들어. 그래서 지금은 초전도 자기 부상 열차라고 하더라도 열차에만 초전도 자석을 설치하고, 레일에는 일반 전자석을 설치해. 하지만 앞으로 좀 더 높은 온도에서 초전도 현상을 일으키는 금속을 찾게 되면 초전도 자기 부상 열차를 자주 보게 될 거야."

"그날이 빨리 왔으면 좋겠어요. 공중에 떠서 달리는 기차를 탄다면 정말 신기하고 재밌을 것 같아요."

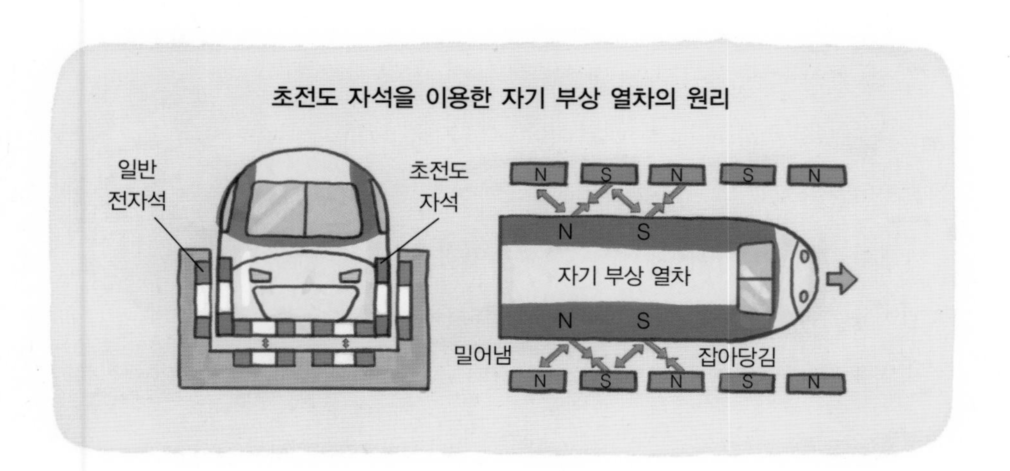

전선 없이 마법처럼, 무가선 저상 트램

"기찬아, 미래야. 아까 삼촌이 KTX가 팬터그래프를 통해 공중에 달려 있는 전선에서 전기를 공급 받는다고 했던 것 기억나니?"

삼촌이 갑자기 이야깃거리를 바꿔 묻자 기찬이가 답했어요.

"네. 팬터그래프랑 전선이 떨어져서 불꽃이 튄다는 것도 알려 주셨어요."

"잘 기억하고 있구나. 그런데 문제점이 하나 있어. 팬터그래프와 전선이 계속 닿은 채로 달리면 마찰력 때문에 기차가 빨리 달리기 어렵다는 거야."

"하지만 전선이 없으면 어떻게 전기를 공급 받아요? 집에 있는 전기 제품도 다 전선이 연결된 플러그를 벽에 있는 콘센트에 꽂아서 쓰잖아요. 아니면 건전지를 끼우거나요."

기찬이의 말에 삼촌은 고개를 저으며 꼭 전선이 있어야만 전기를 공급 받을 수 있는 것은 아니라고 했어요. 그러자 미래가 말했어요.

"아! 맞아요. 아빠 휴대 전화는 전선을 꽂지 않아도 충전이 되더라고요."

삼촌이 고개를 끄덕거렸어요.

"전선 없이도 충전이 가능한 것은 '무선 전력 전송 기술'을 사용하고 있기 때문이야. 이 기술을 맨 처음 생각한 사람은 테슬라라는 과학자야."

미래와 기찬이는 모두 테슬라라는 이름을 처음 들었어요. 삼촌은 테슬라가 발명왕 에디슨과 전기를 공급하는 방법을 두고 경쟁해 이겼다고 했어요. 에디슨은 직류 방식을 주장했고, 테슬라는 교류 방

니콜라 테슬라는 교류 방식으로 전기를 공급하는 시스템을 개발했다.

식을 주장했는데, 테슬라가 주장한 방식이 장점이 많아 오늘날 널리 쓰이게 되었다고 했어요.

"우아, 대단해요. 발명왕 에디슨을 이기다니!"

"맞아. 에디슨보다 이름은 덜 알려졌지만, 테슬라는 사실 엄청난 천재였어. 그는 전선 없이 전력을 송전하는 방식을 생각했는데, 그의 생각이 너무 앞서나가는 바람에 당시에는 실현되지 못했어."

미래가 안타까운 표정을 짓자 삼촌이 미소를 띠며 말했어요.

"무선으로 전기를 보내면, 전선을 만드는 막대한 자원을 아낄 수 있고, 전선이 낡아서 생기는 감전이나 화재도 막을 수 있으니까 안전하지. 또 전선이 어지럽게 널려 있지 않으니까 보기에도 좋을 텐데 말이야. 기차도 무선으로 전기를 공급 받을 수 있으면 마찰이 없으니 더 빠른 속도로 달릴 수 있고."

삼촌의 목소리가 작아지자 미래가 삼촌의 등을 **토닥거렸어요.**

2012년 우리나라 충북 오송에 무가선 저상 트램 전용 선로를 설치하고 무가선 저상 트램을 시범 운행했다.

"삼촌, 실망하지 마세요. 우리가 이담에 커서 발명할게요."

"정말이니? 삼촌이 다 힘이 **불끈불끈** 나는구나. 아직 완벽하진 않지만, 이제는 무선 전력 전송을 어느 정도는 할 수 있을 만큼 기술이 발달했어. 그래서 등장한 것이 '무가선 저상 트램'이라는 교통수단이야."

무선 전력 전송 기술은 몇 가지 문제가 있어. 이런 문제를 해결하면 대단한 기술이 될 거야.

"트램이요? 어디서 들은 것 같은데."

"트램은 버스 몇 대를 붙여 놓은 것 같이 생겨서 기다란 버스처럼 보이기도 해. 하지만 정해진 선로로만 다닐 수 있기 때문에 사실 기차에 가까워. 무가선 저상 트램은 선로가 도로에 설치되어 있는데, 레일이 도로 위로 나오지 않고 바닥과 수평으로 묻혀 있어."

"아! 저도 들은 적 있어요. 그런데 삼촌, 무가선이라는 게 뭐예요?"

미래가 삼촌에게 물었어요.

"무가선은 가선이 없다는 뜻인데, 가선은 기차에 전력을 공급하기 위해 공중에 설치해 놓은 전선을 가리켜."

"전선이 없으면, 충전해서 달리나요?"

기찬이가 신기해서 물었어요.

"물론 충전 기능이 있는데, 정류장에 멈춰 있는 동안 무선 전력 전송 방식으로 충전을 하지. 서울대공원에 있는 코끼리 열차가 바로 이러한 방식으로 움직여. 원래 코끼리 열차는 디젤 연료로 움직였는데, 이 중에서 3대를 무선 충전이 가능한 전기 열차로 고쳐서 운행하고 있어."

"나 타 본 적 있는데, 그 코끼리 열차가 무선 충전한 전기 열차였다니!"

기찬이가 호기심 가득한 얼굴로 말했어요.

3학년 2학기 사회 2. 달라지는 생활 모습
6학년 2학기 과학 3. 에너지와 도구

디젤 기관차보다 전기 기관차가 좋은 점은 무엇일까?

전기 기관차는 디젤 기관차보다 속도가 훨씬 빠르고, 연기도 나지 않아서 환경 문제를 일으키지 않는다. 또한 디젤 기관차는 엔진과 연료를 싣고 달려서 무거운 데 비해 전기 기관차는 전기로 움직이기 때문에 엔진과 연료를 싣고 다니지 않아 가볍다. 그래서 기차가 달리는 길인 선로를 덜 망가뜨리고, 선로를 고치는 데 돈도 적게 든다.

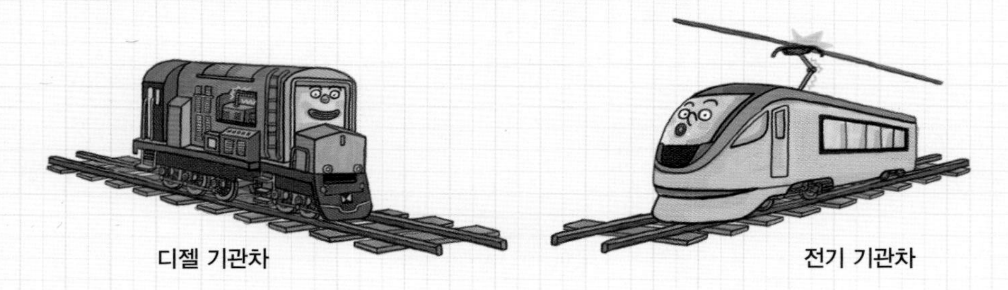

디젤 기관차 전기 기관차

6학년 2학기 과학 3. 에너지와 도구

전동기란 무엇일까?

전동기는 모터라고도 한다. 두 자석 사이에 코일을 넣은 뒤 전류를 흐르게 하면 코일은 자석 사이에서 빙글빙글 도는데, 이것이 전동기이다. 전동기는 전류가 흐르면 빠른 속도로 돌아 다른 기계들을 움직여 일을 하게 만드는 장치이다. 즉, 전기 에너지를 운동 에너지로 바꾸는 장치이다.

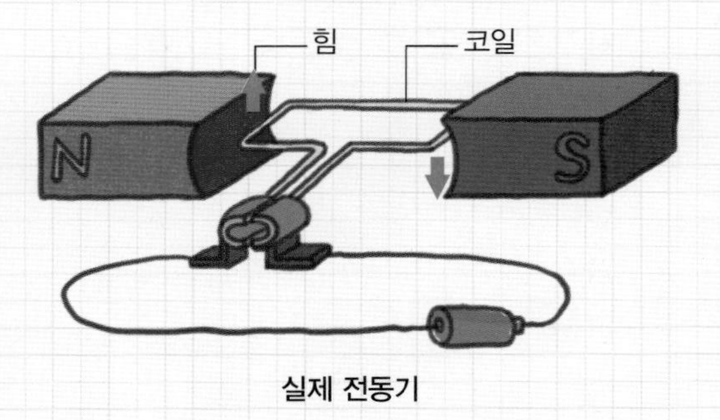

실제 전동기

6학년 2학기 과학 3. 에너지와 도구

전동기로 움직이는 기기에는 무엇이 있을까?

우리가 사용하는 물건들 중에는 전동기로 움직이는 것들이 많다. 냉장고, 세탁기, 선풍기, 믹서, 에스컬레이터, 장난감, 전동 칫솔, 면도기, 청소기, 기차 등이다. 최근에는 전동기를 이용한 전기 차도 개발되어 사용되고 있다.

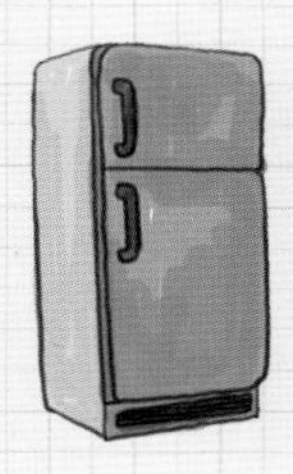

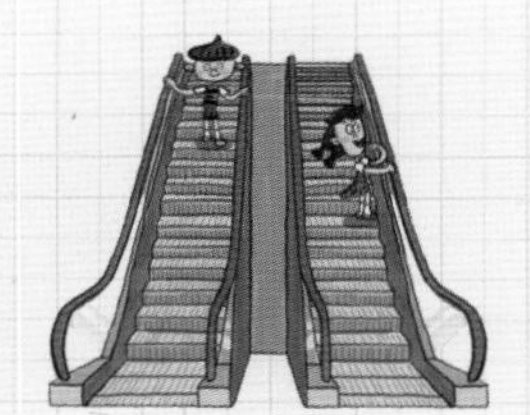

3학년 1학기 사회 2. 이동과 의사소통
6학년 2학기 과학 3. 에너지와 도구

자기 부상 열차는 어떤 원리로 달릴까?

자기 부상 열차는 자기력을 이용해 차량을 선로 위에 띄워서 달린다. 자기 부상 열차에는 열차와 선로 모두에 전자석이 있다. 열차 바로 아래쪽과 선로 사이의 전자석이 같은 극이 돼서 서로 미는 힘이 작용하여 열차를 공중에 뜨게 한다.

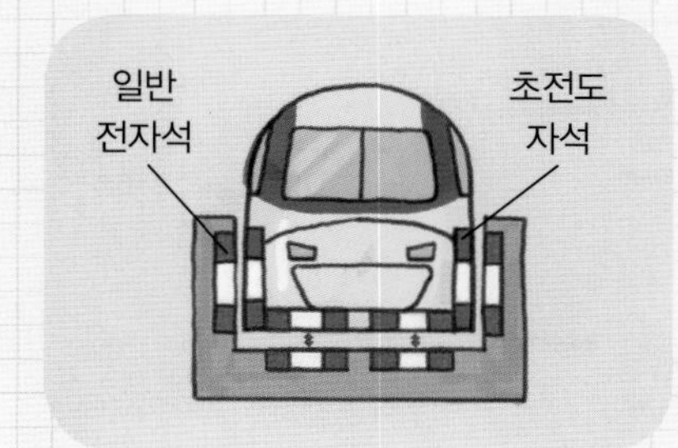

기차 여행을 하고 싶어

3장

여행자를 위한 KTX의 변신

KTX가 동대구역을 출발해 한창 달리고 있을 때였어요.

미래가 옆 선로를 달리는 새마을호를 보더니 삼촌에게 말했어요.

"삼촌, 기차 모양은 참 다양한 것 같아요."

"맞아요. 작년에 엄마, 아빠와 일본에 갔을 때 봤던 일본 기차와 모양이 달라요."

"그래. 기차 모양은 나라마다 다르고 기차 디자인은 시대와 목적에 따라 달라졌단다. 이제 기차 디자인에 대해 이야기해 줄게. 너희들 혹시 KTX 중, 우리나라 독자 기술로 개발된 KTX-산천이 무엇을 보고 디자인했는지 아니?"

삼촌은 정답을 맞히면 선물을 주겠다고 했어요. 선물이 뭔지는 모르지만, 승부 욕심이 발동한 미래와 기찬이는 삼촌이 낸 퀴즈를 맞히려고 난리였어요.

기찬이가 먼저 대답했어요.

"돌고래요. 미끈하고 날쌔게 생겼잖아요."

"전 갈매기요. 앞부분이 뾰족한 게 마치 새 머리 같거든요."

"어허, 둘 다 비슷하지만 정답은 아니야."

삼촌이 고개를 가로저었어요.

"그럼 물개요. 물개처럼 미끈하고 날씬해요."

기찬이가 금방 다른 동물 이름을 댔어요.

"아이고, 이러다가는 세계의 모든 동물 이름이 다 나오겠구나."

정답이 아니라는 삼촌의 말에 기찬이가 말했어요.

"그럼, 힌트라도 주세요! 네?"

삼촌은 잠시 뜸을 들이다가 말했어요.

"기차 이름이 힌트란다."

"아! 저 생각났어요. 산천어예요."

삼촌이 말을 하자마자 미래가 손을 번쩍 들며 대답했어요.

"딩, 동, 댕! 그래, 미래가 맞혔어. 우리나라 토종 물고기인 산천어를 보고 만들었어. 그래서 이름도 KTX-산천이야. 아까 말한 대로 선물을 줄게. 식당 칸에 가서 맛있는 것을 사 주마."

식당 칸에서 삼촌은 달걀과 탄산음료를 사 주었어요. 기찬이가 달걀의 껍질을 벗기며 말했어요.

"전 기차가 버스보다 좋아요. 중간에 간식도 사 먹을 수 있잖아요."

"삼촌, 얘는 먹는 거라면 다 좋아해요. 맨날 먹는 것 생각뿐이에요."

미래와 기찬이가 또 투닥거리자 삼촌이 웃으며 말했어요.

"여행하면서 먹는 것도 추억이란다. 얘들아, 잠깐만. 삼촌이 깜짝 놀랄 만한 것을 알려 줄까? 우리나라 첫 번째 KTX에는 식당 칸이 없었단다."

"뭐라고요? 그럼 기차 여행을 하면서 아무것도 먹을 수가 없었어요?"

기찬이가 눈이 동그래지며 삼촌에게 물었어요.

"KTX를 처음 만들 땐, 서울과 부산을 단지 2시간 50분이라는 짧은 시간에 달리니 식사할 필요가 없다고 생각했던 거야."

"KTX가 그렇게 빨라요?"

"비행기를 닮은 유선형의 몸체를 보면 모르겠냐?"

미래가 으스대며 기찬이를 놀리듯 말했어요.

"그래. 고속 열차는 공기의 저항을 줄이기 위해 비행기처럼 매끈한 유선형이야. KTX는 빠르게 달리는 첨단의 이미지를 강조했지만 승객들의 마음을 사로잡는 데는 실패했어. 식당 칸이 없는 것도 불만이었지만, 가장 큰 문제는 좌석이었어. KTX는 나름대로 한국인의 체형에 맞는 인체 공학적인 좌석을 설치했지."

KTX는 공기의 저항을 줄이려고
기차 몸체를 유선형 모양으로 만들었다.

"인체 공학적인 좌석에 앉으면 편안하

니까 사람들이 좋아했을 것 같은데요?"

"설치할 땐 모두 그렇게 생각했지. 하지만 좌석 사이 간격이 너무 좁았어. 게다가 기차가 가는 방향과 반대로 앉는 역방향 좌석이 있었는데, 이 좌석에 앉은 사람들이 멀미가 난다고 불만을 터뜨렸어."

가는 방향과 반대로 앉아서 가는 걸 상상하니 미래는 눈이 뱅글뱅글 도는 듯한 느낌이었어요.

"풍경을 반대 방향으로 본다면, 멀미가 나서 여행이 하나도 즐겁지 않을 거예요."

"맞아, KTX를 처음 만들 땐, 기차가 단순히 이동 수단이 아니라 여행을 하며 추억을 쌓는 하나의 문화 공간이라는 걸 생각하지 못했던 거야. 결국 새로 만든 KTX는 좌석 사이 간격을 넓히고 좌석의 방향도 조정할 수 있게 했어. 또 식당 칸도 만들었지."

기차도 디자인이 필요해

삼촌과 이야기를 하다 보니 미래와 기찬이는 달걀과 음료를 모두 먹었어요. 미래가 손을 닦고, 주위를 둘러보더니 말했어요.

"KTX는 세련된 디자인이 너무 멋져."

"빠른 게 최고지, 디자인이 무슨 상관이야?"

미래와 기찬이가 티격태격하자 삼촌이 차분히 말했어요.

"기찬아, 기차에서 중요한 것이 뭐라고 생각하니?"

"그야 속도죠. 그리고 안전도 중요하니까 튼튼해야겠죠."

"맞아. 기차는 빠르고 튼튼한 교통수단이지. 하지만 그것이 전부일까?"

삼촌의 질문에 미래가 재빨리 대답했어요.

"디자인도 중요해요. 전 같은 값이면 더 예쁘게 디자인된 기차를 타고 싶어요."

"누나, 디자인은 별로 안 중요하다니깐."

"기찬아, 미래 말이 맞아. 옛날에는 기차가 빠르고 튼튼하면 그만이라고 생각했었어. 그래서 증기 기관차의 모습에서는 세련미라고는 찾아볼 수 없었어. 미래 말대로 사람들은 같은 값이면 더 세련된 디자인의 물건을 찾아. 마음속에 아름다움에 대한 욕구가 있기 때문이야. 옷도 기차도 마찬가지야."

"맞아요. 그래서 예쁜 옷만 고르게 돼요."

"하지만 옷은 예쁜데 내 몸에 잘 맞지 않아서 불편하다면 어떨까?"

미래가 고개를 갸우뚱하며 한참을 생각하더니 대답했어요.

"예뻐서 사긴 했는데 불편하면 자주 못 입을 것 같아요."

"옷이 디자인뿐 아니라 기능적인 면도 중요하듯이 기계도 마찬가지야. 요즘 나오는 냉장고는 예전에 비해 세련된 디자인이지."

"맞아요. 우리 집 부엌에 있는 냉장고는 마치 가구처럼 세련됐어요."

"그래. 이제는 냉장고가 음식을 보관할 뿐만 아니라 장식적인 역할도 한다고 생각하게 된 거야. 이렇게 고객의 마음을 과학적으로 분석하고 해석해 제품을 만드는 데 도움을 주는 학문이 있어. 바로 '감성 공학'이야."

미래와 기찬이가 고개를 끄덕였어요.

"감성 공학은 감성과 공학이 융합되어 생긴 융합 과학의 한 분야야. 너희, 피아노나 그림을 배운 적 있지?"

미래와 기찬이는 동시에 피아노라고 대답했어요.

"그래, 잘 배워 둬. 삼촌은 어렸을 때 자동차나 기차 같은 기계를 좋아하고 과학 과목에만 관심이 있어서 피아노나 그림은 거들떠보지 않았어. 피아노나 그림 같은 것을 배웠다면 지금 예술성을 겸비한 기차 박사가 되었을 텐데……."

미래와 기찬이는 아쉬워하는 삼촌을 잠자코 바라봤어요.

"사람들은 흔히 예술적 감성을 키우는 것과 지적 발달은 서로 다르다고 생각해. 하지만 그렇지 않단다. 레오나르도 다빈치를 봐. 다빈치는 〈모나리자〉와 같은 걸작을 남긴 화가였고, 물리학, 인체 해부학 등 다방면에 뛰어난 과학자였어. 감성 공학은 팔방미인 다빈치처럼 예술과 과학이 만난 학문이고, 감성과 지성이 만난 학문이야."

삼촌의 말에 기찬이가 식당 칸을 쭉 둘러보더니 말했어요.

"삼촌, 그래도 기차는 아직 예술적 감성과는 거리가 먼 것 같은데요?"

삼촌은 잠깐 탄산음료를 마시다 사레가 걸렸어요. 삼촌은 한참을 컥컥거리다 기침이 가라앉자 목을 **가다듬고** 말했어요.

"우리 기찬이 눈이 높구나. 그래도 이전보다 훨씬 좋아진 건데."

삼촌의 말에 기찬이는 그 정도는 별것 아니라며 어깨를 우쭐우쭐했어요.

"1980년대 이전에는 기차를 디자인해야 한다고 아예 생각하지 않았어. 옛날 증기 기관차를 떠올려 봐. 마치 검은색의 거대한 쇳덩어리 같지 않니? 하지만 사람들은 그걸 이상하다고 생각하지 않았어. 싼 값에 사람이나 물건을 싣고 빠르게 달리는 것만 중요했거든. 하지만 이제 시대가 달라졌어. 기차도 기차를 타는 승객의 마음을 잘 헤아려 디자인해야 하는 시대가 되었지."

삼촌은 스마트폰을 꺼내더니 ITX-청춘 열차 사진을 보여 줬어요. 북한강의 **푸른** 물결을 상징하는 파란색과 친환경 도시 춘천을 상징하는 녹색이 눈에 띄었어요. 기차만 봐도 여행하고 싶은 마음이 들었어요.

2012년에 개통된 ITX-청춘은 서울과 춘천 사이를 달리는 준고속 열차로, 최대 시속이 180㎞이다.

세계의 기차와 기차역

"터널, 다리, 또 터널. 삼촌, 기차는 높은 산 위로는 달리지 못해요?"

미래가 창밖을 보며 혼자 중얼거리다 삼촌에게 질문했어요.

"왜 그런 생각을 하니?"

"산을 오를 수 없으니 터널을 통과하는 것 같아서요."

"기차는 경사가 심하면 미끄러질 수도 있어서 그렇단다. 하지만 외국에는 산으로 운행되는 열차도 있어. 인도의 산악 철도는 세계의 지붕이라 불리는 히말라야 산맥을 넘는 철도야."

미래가 깜짝 놀라 삼촌에게 물었어요.

"와, 정말요? 히말라야 산맥이라면 엄청나게 높을 텐데요?"

"놀랍지? 인도의 험난한 산악 지형을 연결하는 이 철도는 마치 회전목마처럼 둥글게 도는 구간

인도 산악 철도는 다르질링 히말라야 철도, 닐기리 산악 철도, 칼카-심라 철도를 합한 철도를 말한다.

오스트리아 젬머링 철도는 세계 최초의 산악 철도로
수많은 터널을 뚫고 계곡 사이를 다리로 이어 건설했다.

도 있고, 지그재그로 올라가는 구간도 있어. 산악 철도가 개통되면서 사람과 물자의 이동이 편해졌고, 지대가 높아 뚝 떨어진 채 살았던 외딴 마을의 경제와 문화가 빠르게 발전했지. 얘들아, 또 유명한 산악 지대로 생각나는 곳 있니?"

삼촌의 질문에 기찬이가 먼저 대답했어요.

"알프스 산맥이요."

"맞아. 1848년에 완공된 오스트리아의 젬머링 철도는 험준한 알프스 산악 지역을 달리는 열차야. 오스트리아 사람들은 당시 기술로는 거의 불가능에 가까웠던 일을 해냈어. 알프스의 아름다운 자연 경관을 파괴하지 않고 터널과 다리를 이용해 산악 철도를 건설했지. 그래서 철도로는 처음으로 유네스코 세계 문화유산에 올랐지."

"알프스 하면 스위스가 생각나요. 알프스는 스위스에 걸쳐 있죠?"

미래가 고개를 갸우뚱하며 삼촌에게 질문했어요.

스위스 레티셰 반 철도는 알프스 산맥 자연 경관과 잘 어울려
2008년에 세계 문화유산으로 선정됐다.

"알프스 하면 스위스를 빼놓을 수 없지. 알프스는 유럽 중부에 있어. 스위스뿐 아니라 이탈리아, 오스트리아 등 무려 7개국에 이르는 산맥이지."

"정말요? 알프스가 그렇게 큰 산인지 몰랐어요."

"스위스의 알프스 동부와 이탈리아의 알프스 북부를 지나는 두 철도를 이르러 레티셰 반 철도라고 하는데, 아름다운 철도로 빼놓을 수 없지."

"삼촌, 알프스 산이 워낙 아름다우니까 당연히 그곳을 지나는 기찻길도 아름답겠죠."

기찬이가 관심이 없는 척 **시큰둥하게** 말했어요. 그러자 삼촌이 눈을 동그랗게 뜨고는 갑자기 목소리를 높였어요.

"그렇기도 하지. 하지만 레티셰 반 철도는 알프스 풍경에만 기대고 있지 않아. 무려 128km에 이르는 이 철도는 55개의 터널과 지붕이 있는 통로, 196개의 구름다리와 다리로 되어 있어. 아름다운 자연과 어울리기 위해 엄청난 노력을 기울였고, 그걸 이뤄냈다는 것이 중요해."

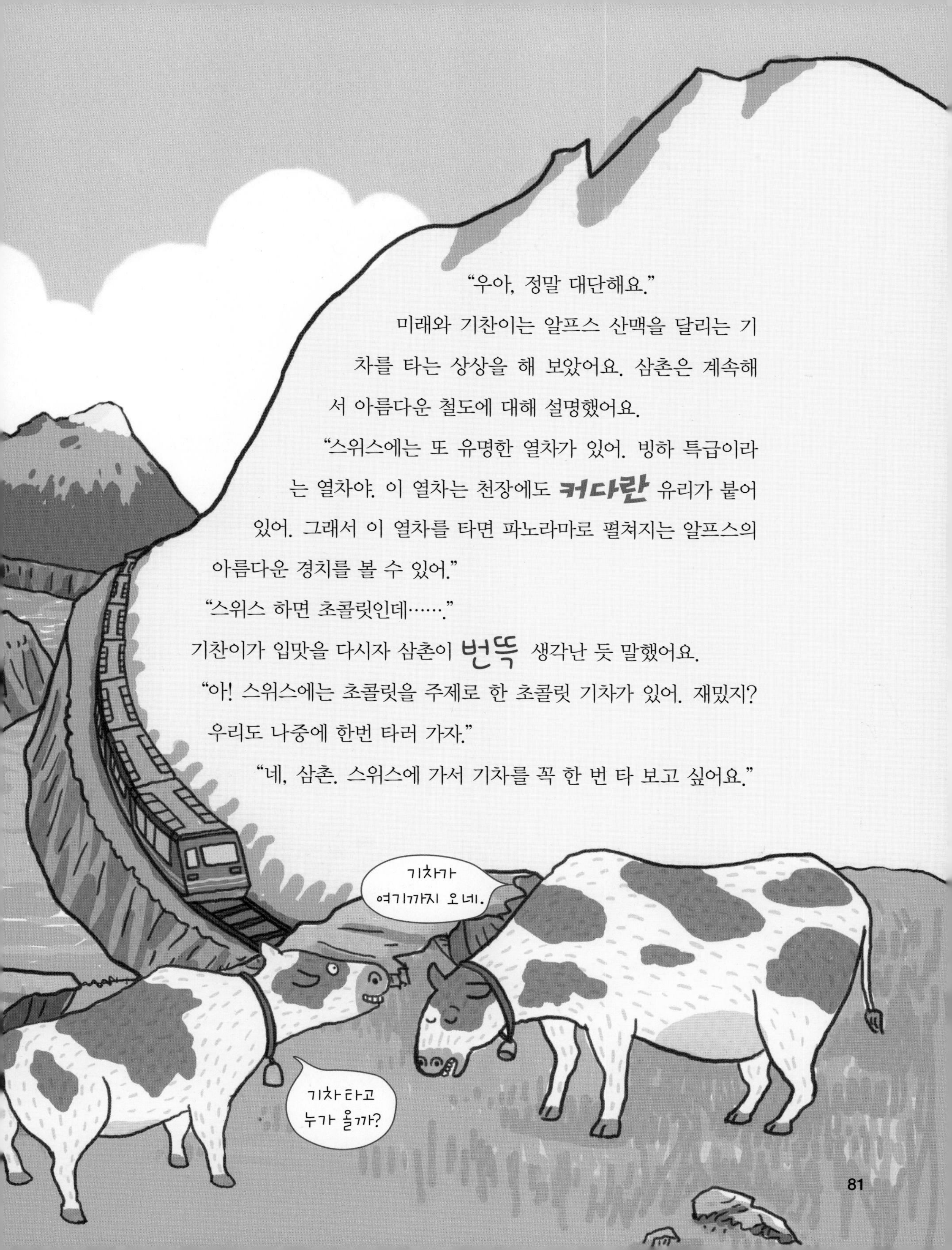

"우아, 정말 대단해요."

미래와 기찬이는 알프스 산맥을 달리는 기차를 타는 상상을 해 보았어요. 삼촌은 계속해서 아름다운 철도에 대해 설명했어요.

"스위스에는 또 유명한 열차가 있어. 빙하 특급이라는 열차야. 이 열차는 천장에도 커다란 유리가 붙어 있어. 그래서 이 열차를 타면 파노라마로 펼쳐지는 알프스의 아름다운 경치를 볼 수 있어."

"스위스 하면 초콜릿인데……."

기찬이가 입맛을 다시자 삼촌이 번뜩 생각난 듯 말했어요.

"아! 스위스에는 초콜릿을 주제로 한 초콜릿 기차가 있어. 재밌지? 우리도 나중에 한번 타러 가자."

"네, 삼촌. 스위스에 가서 기차를 꼭 한 번 타 보고 싶어요."

"그래. 아주 멋지고 기발한 기차역도 있단다. 삼촌이 여기 여행 갔을 때 찍은 사진이 어디에 있을 텐데……."

삼촌은 가지고 있던 스마트폰에서 사진을 찾아 보여 주었어요.

기찬이와 미래는 사진 속 기차역을 보고 깜짝 놀랐어요.

"이게 정말 기차역인가요?"

"기차역은 단순히 기차가 정차하는 곳이라고만 생각하기 쉬운데, 기차는 하나의 교통 문화야."

"와, 전통 한옥으로 되어 있어서 기차역이라고는 상상도 못했어요."

"전주역은 전주가 전통을 간직한 도시라는 걸 상징적으로 보여 주는 건물이지."

삼촌은 스마트폰에서 사진을 계속 찾아 보여 주며 말했어요.

"여기 찾았다. 이곳은 태국에 있는 후아힌 역이야. 이 역은 태국의 전통 양식으로 디자인했어. 후아힌에 있는 역에는 세계에서 가장 작은 대합실이라는 별칭이 붙은 왕실 전용 대합실이 있지."

태국의 해변 휴양지 후아힌 역이다.
태국에서 가장 오래된 기차역 중 하나로
화려한 양식으로 지어졌다.

에스파냐의 수도 마드리드에 있는
아토차 역이다. 역 안을 대규모
식물원처럼 꾸몄다.

꼭 식물원 같네.

"작고 아담한데 왕실 전용이라 그런지 **화려해요.**"

삼촌이 다음 사진으로 넘기자 이번엔 미래가 말했어요.

"삼촌, 이 역은 마치 열대 **식물원** 같아요."

"이건 에스파냐 마드리드에 있는 아토차 역이란다. 역 안을 열대 식물이 자라는 거대한 식물원으로 꾸며서 사람들이 휴식을 취할 수 있게 했어."

"식물원 역이라니, 가보고 싶어요."

"이건 영국 런던에 있는 세인트팽크러스 역이야."

고풍스럽게 지어진 세인트팽크러스 역의 사진을 본 기찬이가 말했어요.

"우아, 정말 멋져요. 붉은 벽돌과 화려한 장식, 시계탑이 꼭 해리 포터의 성 같아요."

미래와 기찬이는 세계의 멋진 기차역을 보고 감탄했어요.

영국 런던의 세인트팽크러스 역이다.
오래된 역사와 아름다운 건물로
유명하다.

자연과 함께 칙칙폭폭

"미래야, 기찬아. 아까 얘기했던 젬머링 철도, 인도 산악 철도, 레티셰 반 철도 기억나니? 모두 세계 문화유산에 선정된 철도인데 어떤 공통점이 있을까?"

미래가 **골똘히** 생각하더니 말했어요.

"산을 구비구비 돌고, 터널과 다리를 만들고, 모두 자연과 잘 어울려요."

미래의 말에 기찬이가 거들었어요.

"저도요. 모두 자연을 파괴하지 않고 만든 철도라는 생각이 들어요."

"맞아. 그런데 모든 철도가 세계 문화유산에 선정된 철도들처럼 자연을 파괴하지 않고 건설됐다면 좋을 텐데, 사실은 그렇지 못했어. 철도가 많이 건설되던 산업 혁명 시대는 많은 물건을 실어나르는 데

만 관심이 있었기 때문이지. 이렇게 무분별하게 철도를 놓아서 생긴 피해는 결국 모두 사람에게 돌아와. 사람뿐 아니라 동물과 식물에게도."

삼촌의 말에 미래와 기찬이의 표정이 갑자기 어두워졌어요.

"걱정 말렴. 철도가 이젠 많이 달라졌으니까."

미래가 아직 못 믿겠다는 표정으로 삼촌에게 물었어요.

"철도를 만들 때 환경 파괴를 줄이기 위해 진짜 노력하고 있나요?"

"맞아. 철도를 만들어야 하는 곳에 환경 보전 구역이 있으면 그곳을 피해 건설해. 철로를 놓기 위해 베어 낸 나무만큼 새로 나무를 심기도 하고. 또한 동물이 이동하는 통로를 별도로 만들어 철로를 지나가다가 다치거나 죽는 일이 없도록 하지."

"기차가 달릴 때 나는 소음은요? 소음도 나쁜 영향을 줄 수 있잖아요."

"그럼. 소음도 줄여야지. 덜컹덜컹하는 기차 소리는 레일과 레일 사이에 틈이 있어서 나. 이 소음을 줄이기 위해서 200m 이상 길이의 '장대 레일'을 설치해. 장대 레일 위를 달리는 기차는 소음이 적거든."

"다행이다. 소음 때문에 동물들이 죽었다는 뉴스를 본 적 있어요."

"그래. 그래서 레일에 진동을 흡수하는 장치를 붙이기도 해. 마치 거실에 양탄자를 깔면 아래층에 쿵쿵대는 소음이 덜 들리는 것과 같지. 또 사람들이 사는 마을이나 환경 보호 구역에는 금속이나 플라스틱으로 방음 울타리를 설치해 소음이 퍼져 나가는 걸 막아."

"우아. 철도를 건설할 때, 이제 환경을 보호하는 데도 많은 신경을 쓴다니 다행이네요."

미래가 아까보다 표정이 한결 **밝아져** 말했어요.

"철도를 건설하고 기차를 만들 때도 환경에 신경을 쓰지만 폐기할 때도 환경을 고려한단다."

"낡은 기차는 그냥 고철로 처리하는 것 아닌가요?"

기찬이가 궁금하다는 표정을 지어 보이며 삼촌에게 질문했어요.

"물론 그렇게 철을 재활용할 수도 있지만 인공 어초 사업에 쓰기도 해."

"인공 어초요?"

기찬이가 **멀뚱히** 삼촌을 쳐다보자 미래가 불쑥 끼어들어 말했어요.

"삼촌, 물고기 아파트 말하는 거죠?"

"하하. 그렇다고도 할 수 있지. 인공 어초는 바다 생물들이 자랄 수 있는 환경을 만들어 주는 걸 말해. 수명을 다한 기차가 바다 생물의 보금자리가 되고, 물고기와 어패류도 많이 잡을 수 있어 어업에도 도움이 되지."

기찬이가 삼촌의 말을 되새기더니 말했어요.

"재활용하는 비용도 줄이고 어업에도 활용할 수 있으니 일석이조네요?"

"그렇지. 바다를 오염시키지 않도록 친환경 재료로 만들고, 잘 처리한다면 기차는 진정한 친환경 교통수단으로 인정받을 수 있겠지?"

감성 공학의 한자는 무엇일까?

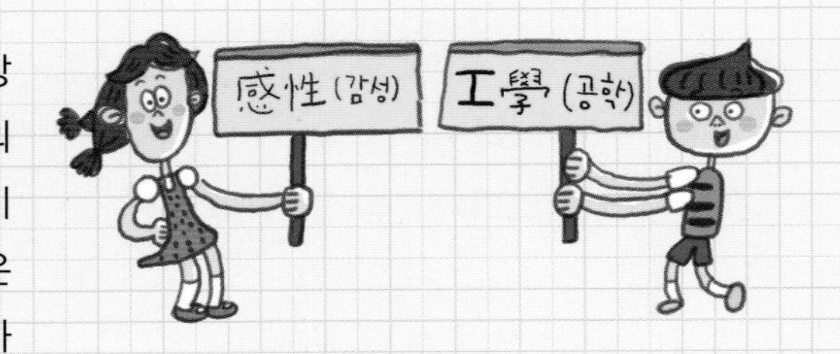

감성 공학은 느낄 감(感), 성품 성(性), 장인 공(工), 배울 학(學) 자를 쓴다. 인간의 감성이 들어 있는 물건이나 기계를 만들기 위한 기술을 연구하는 학문이다. 요즘은 물건이나 기계가 단지 기능적인 면만 가져서는 사람들이 만족하지 못한다. 사람에게는 물리적 편리함뿐만 아니라 감정적인 만족도 중요하기 때문이다. 감성 공학은 이 부분을 고려하여 물건이나 기계를 만들기 위해 연구하는 분야이다.

세계 문화유산으로 선정된 철도는 무엇일까?

젬머링 철도

유네스코 세계 문화유산으로 선정된 철도는 알프스 산맥을 지나는 오스트리아의 젬머링 철도와 스위스의 레티셰 반 철도, 히말라야 산맥을 넘는 인도 산악 철도가 있다.

세 철도는 모두 환경을 파괴하지 않고 자연과 함께 어울릴 수 있게 만들어졌다. 또한 이 철도들은 산이 험준해 외따로 있는 지역에 사람과 물자가 이동해 세상과 소통할 수 있게 했다.

KTX는 왜 유선형일까?

KTX는 앞부분이 곡선이고 뒤쪽으로 갈수록 뾰족한 형태의 유선형으로 되어 있다. KTX가 유선형인 까닭은 공기의 저항을 적게 받기 위해서이다. 빠르게 달리는 물체는 공기의 저항이 매우 크기 때문에 유선형으로 만들어야 공기의 저항을 줄일 수 있다.

6학년 1학기 사회 2. 환경과 조화를 이루는 국토

철도를 만들 때 환경보호를 위해 무엇을 할까?

우선 철도를 만들어야 하는 곳에 환경 보전 구역이 있으면 그곳을 피해서 철도를 놓고, 철도가 동물이 이동하는 길과 겹치면 동물들의 이동 통로를 따로 만들어 줘서 동물을 보호한다.

만약 철도를 놓기 위해 나무를 베어 내면 베어 낸 나무의 수만큼 다시 나무를 심으려고 노력하고, 소음을 줄이기 위해 장대 레일을 만든다. 기차가 다니며 만들어 내는 소음은 철도 주위의 생태계와 마을에 피해를 주기 때문이다. 또한 레일에 진동을 흡수할 수 있는 장치를 붙이고 방음 울타리를 설치해 소음을 막기도 한다.

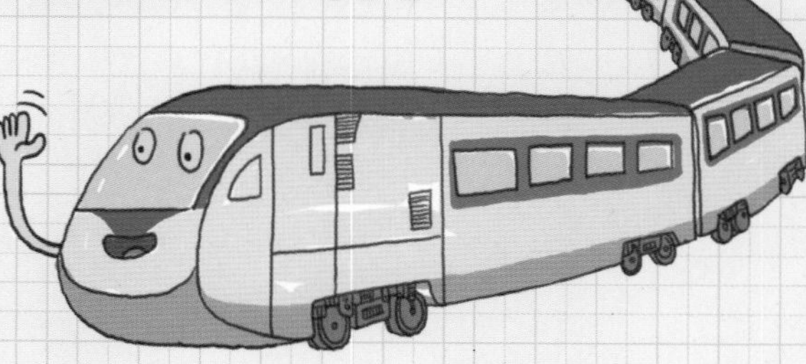

4장

궁금한 기차의 모든 것

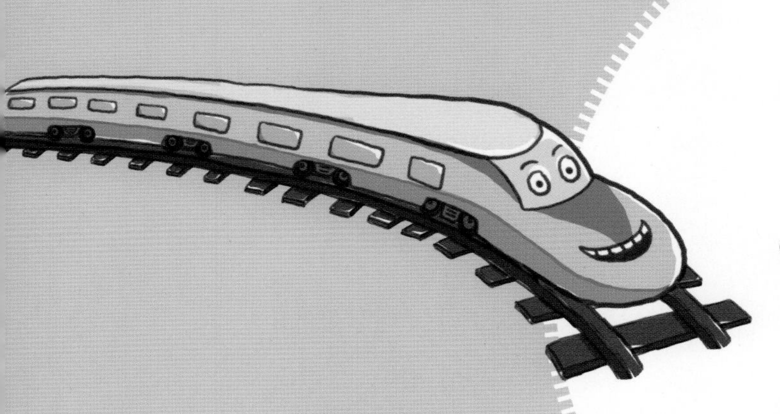

자동차와 기차의 속도 차이는?

삼촌은 기찬이와 미래를 데리고 다시 자리로 돌아왔어요. 그러자 다음 역이 부산역이라는 안내 방송이 나왔어요.

"삼촌, 곧 부산역에 도착한대요."

기찬이가 신이 나 말했어요. 하지만 삼촌은 좀 **피곤해** 보였어요. 오는 내내 미래와 기찬이의 기차에 대한 호기심과 궁금증을 풀어 주기 위해 애썼거든요. 2시간 동안이나요.

"삼촌, 우리나라에 KTX 말고 다른 기차도 있어요?"

미래의 질문에 삼촌이 창밖을 보며 기운 없는 목소리로 대답했어요.

"응. 새마을호, 무궁화호, 누리로호, 통근 열차 등이 있어. 그런데 이 기차들은 KTX처럼 빠르지 않아. KTX가 달리는 평균 속력의 절반에도 미치지 못하지."

"삼촌, KTX는 정말 빠른 것 같아요. 고속버스보다 훨씬 빨라요."

"누나, 말도 안 돼.
고속버스가 얼마나 빠른데. 이렇게 큰 기차가 어떻게 버스보다 빠르겠어?"

미래가 고속버스보다 KTX가 더 빠르다며 **감탄하자,** 기찬이가 바로 반박했어요. 미래는 기차가 역에서 출발할 때 옆의 도로를 달리던 자동차들이 기차보다 **쌩** 앞서 나간 것이 기억났어요. 그래서 자신 없는 듯이 삼촌에게 물었어요.

"삼촌, 정말 그래요?"

"글쎄, 기차는 엄청나게 커서 출발할 때는 자동차보다 속력이 느려. 하지만 평균 속력은 기차가 고속버스보다 **훨씬** 빠르단다."

삼촌의 말에 기찬이가 놀라며 물었어요.

"출발할 때 느렸던 기차가 어떻게 더 빨라요? 말도 안 돼요."

"기차는 속력이 일정하지 않아. 너희들이 이렇게 기차에 대해 관심이 많아졌다니, 그럼 부산역에 도착할 때까지 속력에 대해 이야기해 볼까?"

삼촌은 기차에 대해 궁금해하는 미래와 기찬이가 기특해 피곤함도 잊고 계속 이야기를 이어 나갔어요.

선로는 왜 평행할까?

삼촌이 속력에 대한 얘기를 막 시작하려 하자 기찬이가 말했어요.

"삼촌, 먼저 부산에 도착하면 해수욕장에서 무엇을 먹을지부터 정해요."

삼촌이 한바탕 웃고는 기찬이에게 뭘 먹고 싶은지 물었어요.

"전 치킨이요."

"아니야. 삼촌, 우리 피자 먹어요."

"기찬이랑 미래의 의견이 마치 기차 레일처럼 평행선을 달리고 있구나."

"평행선이요?"

"기차 레일은 영원히 만나지 않는 평행선이야. 레일처럼 서로 일정한 거리로 떨어져 있는 두 직선을 서로 평행하다고 하고, 두 직선을 '평행선'이라고 해. 삼각자 2개가 있으면 간단하게 평행선을 그을 수 있지. 레일은 평행해야 하지만, 너희들은 의견을 절충해야겠지? 삼촌이 낸 문제를 맞히는 사람에게 선택권을 줄게. 기차 레일 사이의 간격은 얼마일까? 더 가까운 수치를 얘기한 사람이 이기는 거야."

둘은 잠깐 철도를 떠올려 보았어요. 기찬이가 머뭇머뭇하는 사이 미래가 자신 있게 말했어요.

"삼촌! 150cm요."

"음. 맞았어. 미래가 이겼네. 근데 어떻게 알았니?"

"책에서 본 것 같아요."

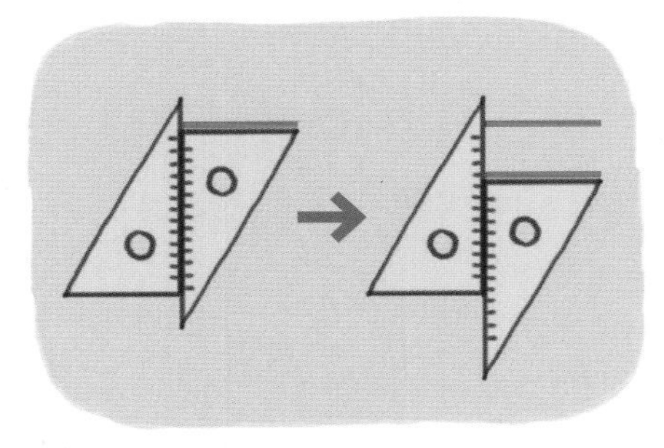

삼각자 두 개를 뒤집어 댄 다음 삼각자 한 개를 아래로 옮기면서 선을 그으면 평행선을 쉽게 그을 수 있다.

치킨을 못 먹게 돼 **시무룩해진** 기찬이가 말했어요.

"왜 레일 사이 간격이 하필 150cm인가요?"

"1830년 처음 레일을 설치했을 때, 영국의 조지 스티븐슨이 1,435mm로 했기 때문에 기준이 된 거야. 이것을 '표준궤'라고 부르고 이보다 넓으면 '광궤' 좁으면 '협궤'로 구분해."

"그럼 꼭 1,435mm 간격으로 만들어야 하는 건 아니라는 거죠?"

기찬이가 다시 자신감을 회복하고 말했어요.

"그렇지. 그리고 레일 사이에는 침목이라는 나무 판을 놓아서 레일 사이 간격이 벌어지거나 좁아지지 않도록 고정시켜. 무거운 기차가 계속 달리다 보면 레일에 충격을 주어서 레일 간격이 흐트러질 수 있거든. 요즘은 침목을 나무 판 대신 콘크리트로 만든단다."

"아, 침목도 중요한 거네요."

"자, 그럼 이제 레일과 침목 사이에 수학적으로 어떤 관계가 있는지 알려 줄게. 레일과 침목은 항상 서로 직각을 이루고 있어. 이것을 '수직'이라고 하고, 두 직선이 서로 수직일 때 한 직선을 다른 직선의 수선이라고 해."

삼촌의 말을 귀 기울여 듣던 미래가 말했어요.

"그럼 선로를 수학적으로 표현하면 두 평행선 사이에 수많은 수선을 그어 놓은 것이라고 할 수 있겠네요?"

"미래는 수학을 아주 잘하는구나."

삼촌이 미래를 칭찬하자 기찬이가 샘이 나서 입을 실룩거렸어요.

"피, 잘난 척하기는. 나도 그 정도는 안다고."

"기찬아, 레일 사이의 간격이 일정하지 않으면 어떻게 될까?"

기찬이가 어리둥절한 표정을 짓자, 삼촌이 말했어요.

"힌트를 하나 줄게. 기차는 자동차와 달리 바퀴를 자유롭게 움직일 수 없어. 한마디로 레일 위만 달려야 해."

"삼촌, 그렇다면……. 기차가 탈선하게 되는 건가요?"

"그래. 레일 사이 간격이 일정하지 않으면 기차 바퀴가 선로를 벗어나지."

기차가 탈선한다는 말에 기찬이가 소스라치게 놀라 말했어요.

"삼촌, 너무 끔찍해요. 그런데 레일은 침목과 단단히 연결되어 있는데 어떻게 간격이 달라질 수 있나요?"

"레일이 변형되는 가장 큰 이유는 열 때문이야. 물체는 열을 받으면 늘어나고 차가워지면 줄어들거든. 쇠를 엄청나게 뜨겁게 달구면 흐물흐물 녹는다는 거 알지? 레일도 쇠니까 그럴 수 있어. 특히 여름에 기온이 높아지면 레일이 늘어나 휘어질 수 있어. 열 때문에 레일이 늘어나 기차가 탈선하는 사고를 막기 위해 선로를 만들 때 레일과 레일 사이에 일정한 간격의 틈을 두지!"

"그 틈 때문에 기차가 달릴 때 **덜컹덜컹** 소리가 나는 거예요?"

미래가 말하자 삼촌이 고개를 끄덕거렸어요.

"그렇지. 그 틈도 여름이 되면 레일이 늘어나 간격이 좁아지고, 겨울이 되면 레일이 줄어들어 간격이 늘어난단다."

부산까지 얼마나 걸릴까?

“삼촌이랑 기차 이야기를 하고 있으니 시간 가는 줄 모르겠어요. 그런데 삼촌, 이 기차는 부산까지 가는 데 얼마나 걸려요?”

미래는 삼촌의 얘기가 재밌는지 신나게 말했어요. 기찬이는 삼촌이 미래를 칭찬한 뒤부터 괜히 샘이 나 **심술을 부리며** 말했어요.

“누나, 그건 기차표에 다 나와 있어.”

“기차표에 그런 것도 써 있어?”

기찬이가 주머니 속에서 기차표를 꺼내며 말하자, 미래도 기차표를 찾아 가방 속을 뒤적거리기 시작했어요. 삼촌은 **뾰로통한** 기찬이의 머리를 쓰다듬고는 말했어요.

“그래, 맞아. 기차는 자동차와 달리 막히는 곳도 없고, 신호를 기다릴 필요도 없어서 운행 시간을 정확하게 맞출 수 있단다.”

“삼촌, 기차표에 도착 시간이 17시 14분으로 되어 있어요. 그리고 출발 시간은 14시 35분이고요. 그

17시 14분은 16시로 고치고 14분에 60분을 더해 74분으로 고쳐서 계산하면 돼.

KTX 도착 시간 − 출발 시간
= 17시 14분 − 14시 35분
= 16시 74분 − 14시 35분
= 2시간 39분

럼 도착 시간에서 출발 시간을 빼면 얼마나 걸리는지 알 수 있는 거죠?"

기찬이가 기차표를 보면서 말했어요.

"그렇지. 그렇게 하면 부산까지 가는 데 2시간 39분이 걸린다는 걸 알 수 있어. 하지만 모든 기차가 서울에서 부산까지 가는 데 같은 시간이 걸리는 건 아니란다. 기차 종류마다 다르고, 똑같은 KTX라도 노선에 따라 서는 역이 다르고, KTX가 달리는 선로를 다른 기차가 이용하면 길을 비켜 줘야 하는 경우도 있어서 시간은 조금씩 차이가 나. KTX가 아닌 새마을호는 4시간 56분, 무궁화호는 5시간 37분이나 걸려."

삼촌의 말에 미래가 눈살을 **찌푸렸어요.**

"헉, 5시간 37분이라니! 기차 여행이 좋긴 하지만 무궁화호는 너무 오래 걸려서 **지루할 것** 같아요."

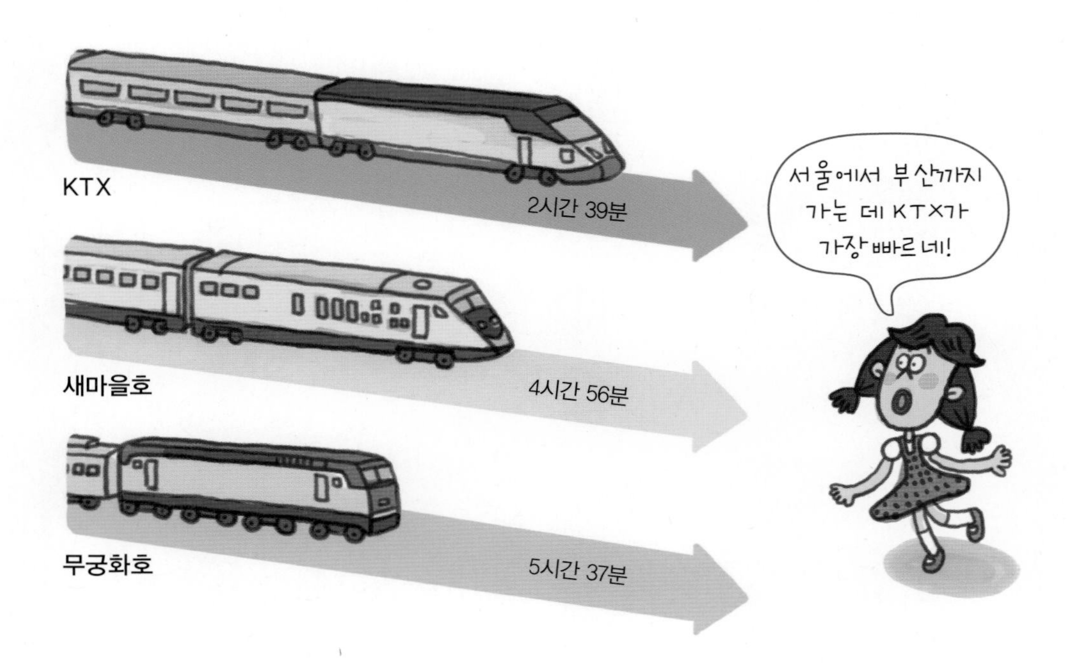

KTX가 빠를까, 총알이 빠를까?

"삼촌 이제 KTX가 정말 빠르다는 것을 알겠어요."

기찬이가 감탄하며 말하자, 삼촌이 물었어요.

"그럼, KTX와 총알 중에서 어느 것이 더 빠를까?"

"에이, 삼촌. KTX가 아무리 빨라도 **총알**보다 빠르겠어요?"

"그럼 KTX와 총알의 속력을 한번 비교해 볼까?"

삼촌의 말에 기찬이가 눈을 동그랗게 뜨고 고개를 끄덕거렸어요.

"KTX-산천은 최고 속력이 시속 330km이지만 보통은 시속 160km 정도로 달려. 총알의 경우, 총구에서 나오는 속력이 초속 900m쯤이야."

기찬이는 삼촌이 속력의 단위를 다르게 말하자 어떤 것이 더 빠른 건지 **헛갈렸어요.** 그러자 삼촌이 단위를 같게 맞춰 주었어요.

$$160\text{km/시} = \frac{160{,}000\text{m}}{3{,}600\text{초}} = 44.44\cdots(\text{m/초})$$

"1시간은 3,600초이고, 1km는 1,000m지. 이제 한번 계산을 해 볼까?"

삼촌이 KTX 속력을 초속으로 계산하면 44.44m라고 했어요. 그 말을 듣고 기찬이가 말했어요.

"총알이 초속 약 900m이니까, 총알이 KTX보다 거의 20배나 빠르네요."

"그럼 KTX와 투수가 던진 야구공 중에서는 어느 것이 더 빠를까?"

"야구장에서 보면 투수가 던진 공은 눈 깜짝할 새 지나가요. 당연히 야구공이죠."

기찬이의 대답에 삼촌이 고개를 저으며 말했어요.

"야구공이 더 빠를 것 같지만 사실은 KTX가 더 빨라. 프로 야구 선수들이 던지는 공은 시속 150km 정도이니까, KTX가 더 빠른 셈이지. 기차가 야구공보다 훨씬 크기 때문에 느리게 보이는 것뿐이야. 전투기가 총알보다 빠르지만 총알보다 느리게 보이는 것과 같아."

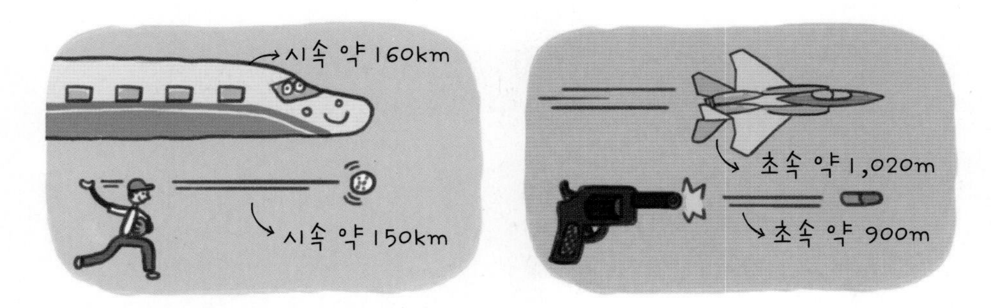

KTX와 전투기가 크기 때문에 야구공과 총알보다 더 느려 보이지만,
실제는 야구공보다 KTX가, 총알보다 전투기가 더 빠르다.

KTX 기차역이 적은 이유는?

"삼촌, KTX는 정차하는 역이 몇 개 안 되는 것 같아요. 예전에 아빠랑 무궁화호를 탄 적이 있는데 그때는 많은 역에 멈췄어요."

"맞아. KTX 기차역은 몇 개 안 되지. 그럼 왜 역 수가 적을까?"

삼촌의 질문에 곰곰이 생각하던 미래가 말했어요.

"역에 많이 서면 사람들이 타고 내리는 데 시간이 걸려서 그런 건가요?"

"물론 그런 이유도 있겠지. 하지만 그보다 큰 이유가 있단다."

"혹시 너무 빨라서 서지 못하는 건가?"

기찬이가 자신 없이 중얼거리는 걸 들은 미래가 웃음을 터뜨렸어요.

"킥킥. 이기찬, 아무리 기차가 빨라도 역에 서지 못한다는 게 말이 돼?"

"아니야, 미래야. 기찬이 말이 아주 틀린 건 아니야. KTX는 최고

요일	월	화	수	목	금	토	일
시간	1	2	1	0	1	4	5

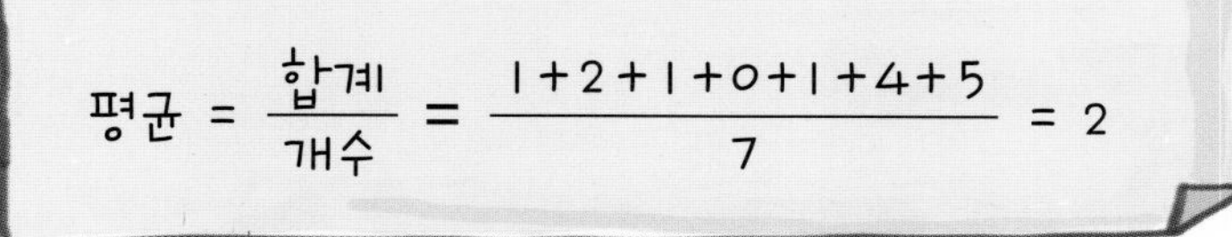

$$평균 = \frac{합계}{개수} = \frac{1+2+1+0+1+4+5}{7} = 2$$

속력이 시속 305km이지만 실제로 서울–부산 구간에서 평균 속력은 시속 160km야. 역 수가 많아지면 그만큼 평균 속력이 줄어들기 때문에 빨리 달리기 위해 역 수를 줄이는 것이지."

삼촌의 말에 미래는 웃음을 뚝 그치고 말했어요.

"아, 평균 속력이요? 저도 알아요. 평균은 전체를 더한 합계를 개수로 나눈 값이에요. 예를 들면 제가 일주일 동안 텔레비전을 보는 시간이 총 14시간이라면 일주일이 7일이니까 1일 평균 시청 시간은 2시간이라는 거죠."

미래의 말에 갑자기 기찬이가 왈칵 성을 냈어요.

"누나가 텔레비전을 그것밖에 안 본다고? 누나가 평일에는 학원 때문에 텔레비전을 잘 못 보지만, 일요일에 잔뜩 보잖아!"

"야, 그 비밀을 다 말하면 어떻게 하냐?"

"그게 뭐 비밀이야? 엄마도 다 아시는데."

"그래도 난 할 건 다하고 텔레비전을 보고, 결과적으로 하루에 2시간 정도씩 보는 거라고."

미래와 기찬이가 서로 투닥거리기 시작했어요.

"미래가 일요일에 텔레비전을 많이 보지만, 일주일을 놓고 보면 매일 평균적으로 2시간이라는 거란다."

삼촌의 말에 기찬이가 미래에게 혀를 쑥 내밀고 말했어요.

"에, 그래도 누나가 일요일에 텔레비전을 많이 보는 건 맞잖아!"

미래가 기찬이의 말에 다시 대꾸하려 하자, 삼촌이 미래의 등을 토닥거렸어요.

"자, 이제 그만 다투렴. 삼촌이 KTX의 평균 속력에 대해 다시 설명해 줄게. KTX는 운행 도중에 역이 있으면 정차했다가 다시 달리기 때문에 평균 속력은 최고 속력보다 작아질 수밖에 없어. 만일 지금보다 역 수가 더 많아진다면 속력을 줄이고 높이는 일을 반복해야 하기 때문에 평균 속력은 더욱 느려지게 될 거야. 그래서 정차하는 역 수가 몇 개밖에 안 되는 거야."

삼촌의 설명을 듣던 기찬이가 불쑥 질문했어요.

"삼촌, KTX가 출발하면서 바로 최고 속력으로 올리면 훨씬 빨라질 것 같은데요?"

"기찬이가 아주 좋은 질문을 했어. 만일 KTX가 출발하자마자 최고 속력으로 달리고 역이 다가오면 바로 멈출 수 있다면, 기차역이 많아도 평균

속력은 빨라질 거야. 하지만 기차 바퀴와 레일 사이에는 마찰력이 작아서 KTX는 빠르게 출발하거나 갑자기 멈출 수 없어. 너희들 얼음판 위에서 빨리 걸으려고 하다가 넘어진 적 있지?"

"누나가 자주 그래요. 맨날 벌러덩 엉덩방아를 찧는데 얼마나 웃긴데요."

"치, 너도 잘 넘어지면서 뭘."

"얼음판에서는 앞으로 빨리 걸으려고 하면 오히려 천천히 걸을 때보다 자꾸 발이 뒤로 미끄러져서 앞으로 나가기 어려워. 신발과 얼음판 사이에 마찰력이 작아서 그런 건데, KTX가 최고 속력으로 빨리 출발하지 못하는 이유랑 비슷해."

"아, 마찰력."

"급하게 멈추려고 하면 오히려 바퀴가 레일 위에서 미끄러져서 더 멀리 가서 멈추게 돼. 그래서 KTX는 출발할 때도 서서히 속력을 높이고, 멈출 때도 역에 도착하기 전부터 서서히 속력을 줄이는 거야."

삼촌이 말을 마치고, 미래와 기찬이를 바라봤어요. 둘은 아까 다툰 걸 금새 잊었는지 삼촌의 말에 귀 기울이고 있었어요.

서울-부산, 바퀴는 몇 번 구를까?

어느새 KTX가 부산역을 향해 다가가고 있었어요. 창밖을 보던 기찬이가 말했어요.

"저기 봐! 자동차가 타이어를 갈고 있어. 펑크가 났나?"

"예전에 아빠 차를 타고 가다가 타이어에 펑크가 나서 한참 동안 고생했던 적이 있어요. 기차는 타이어를 갈 필요가 없으니 그런 일은 없겠죠?"

미래가 그때 일을 떠올리며 말하자 삼촌이 고개를 저으며 말했어요.

"아니야. 기차도 바퀴를 점검해서 갈아 줘야 한단다."

"에이, 삼촌도. 기차 바퀴는 쇠인데 어떻게 펑크가 나요?"

"물론 기찬이 말도 맞는데, 기차 바퀴도 오래되면 닳아서 작아져. 원래 KTX의 바퀴는 지름이 92cm야. 그런데 바퀴 지름이 85cm가 되면 바꿔 줘야 해. 바꾸지 않으면 문제가 생길 수도 있어."

삼촌이 갑자기 빙긋 웃더니 말했어요.

"마지막으로 문제를 한번 내 볼까? 서울에서 부산까지 바퀴가 몇 번이나

회전했는지 알 수 있을까? 이걸 맞히면 삼촌이 아이스크림을 사 줄게."

아이스크림을 사 준다는 말에 기찬이가 미래에게 말했어요.

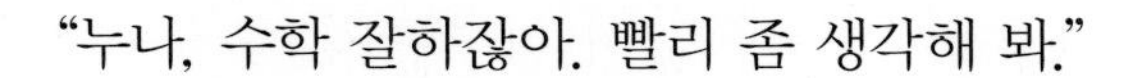

"누나, 수학 잘하잖아. 빨리 좀 생각해 봐."

"알았어. 잠깐 원주를 이용해서 구하면 될 것 같아."

"원주? 원 둘레의 길이 말이야?"

기찬이가 미래에게 다급히 물었어요.

"그래. 원의 지름은 자로 잴 수 있지만, 원주는 자로 잴 수 없어. 그래서 실로 재지. 원주는 지름과 일정한 관계가 있어. 원주를 지름으로 나누면 항상 3.14거든. 원래 계산기로 계산하면 3.141592……로 계속 이어지는 값이 나와. 하지만 이것을 간단히 소수 셋째 자리에서 반올림해서 3.14로 나타내는 거야."

"똑똑한 척하기는! 그건 나도 안다고. 그걸로 어떻게 한다는 거야?"

미래와 기찬이가 열심히 문제를 푸는 동안 삼촌은 옆에서 웃으며 지켜보고 있었어요.

"지름에 3.14를 곱하면 원주를 구할 수 있어."

"그거야 당연하지. 원주를 지름으로 나눈 것이 3.14니까."

기찬이는 빨리 문제를 풀기를 바랐어요. 미래는 기찬이의 재촉에도 아랑곳하지 않고, 차근차근 생각하며 문제를 풀 방법을 찾아 나갔어요.

"바퀴의 원주와 회전수를 알면 속력을 구할 수 있겠지?"

"응. 원주와 회전수를 곱하면 이동 거리를 알 수 있으니까, 이동 거리를 걸린 시간으로 나눠서 속력을 구하면 돼."

"오! 기찬이 너도 수학 좀 하는데?"

미래가 기찬이를 칭찬하자, 기찬이가 **우쭐해서** 말했어요.

"나도 장래 꿈이 과학자니 그 정도는 기본이지. 만약 지름이 40cm인 자동차 바퀴가 1번 회전하면 40cm×3.14=125.6cm야. 이것을 걸린 시간으로 나누면 자동차의 속력을 구할 수 있어."

"맞아. 만일 자동차 바퀴가 1시간에 100,000번 회전했다면 1시간에 12,560,000cm를 이동한 것이지. 12,560,000cm는 125.6km이기 때문에 이 자동차의 속력은 시속 125.6km가 되는 거야."

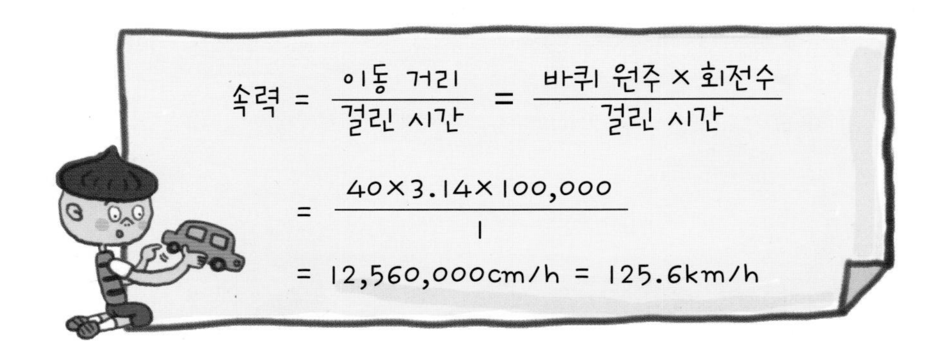

미래가 문제를 풀어 나가자 기찬이는 아이스크림을 먹을 생각에 들떴어요.

"야호! 신난다. 이제 거의 다 풀었어."

"이제 KTX 바퀴의 원주를 구해 볼까? KTX 바퀴 지름 92cm에 3.14를 곱하면 되겠지? 그러면 92cm×3.14=288.88cm야. 288.88cm는 약 2.89m이고, 회전수는 이동 거리를 원주로 나누면 구할 수 있어."

미래가 눈을 반짝이며 삼촌에게 물었어요.

"삼촌, 서울역에서 부산역까지 거리가 얼마예요?"

"423.8km란다."

삼촌이 거리를 알려 주자, 미래가 열심히 계산을 했어요.

$$\text{회전수} = \frac{\text{이동 거리}}{\text{원주}} = \frac{423,800}{2.89} = 146,643.59\cdots$$

"423,800÷2.89=146,643.59……. 삼촌! 우리가 다 구했어요. 약 150,000번이요."

미래가 삼촌에게 자랑스럽게 답을 이야기하자 삼촌이 말했어요.

"그렇지. 둘이 같이 하니 잘 푸는구나."

"헤헤. 저희들이 티격태격해도 중요할 때는 친해요."

"이렇게 많이 회전하기 때문에 바퀴가 쇠로 되어 있어도 닳는 거야. 이제 역에 내리면 맛있는 아이스크림 사 줄게."

드디어 도착한 부산역

부산역이 보이자 기찬이가 신이 나서 소리를 질렀어요.

"야, 드디어 부산역이다! 삼촌, 우리 몇 시간 만에 여기 온 거예요?"

깜짝 놀란 미래가 누나답게 기찬이를 **타일렀어요.**

"이기찬, 조용히 해. 아직 기차 안인데 시끄럽게 굴면 안 돼."

"기찬아, 혼자 있는 게 아니니깐 조용히 말하렴. 흠, 지금 시간을 보니깐 딱 2시간 40분 만에 도착했구나."

삼촌이 시계를 보고는 선반에 올려놓은 짐을 **주섬주섬** 내렸어요.

"이제 우리 슬슬 나가 볼까?"

"네, 삼촌이랑 얘기하다 보니까 더 금방 도착한 것 같아요."

미래와 기찬이가 동시에 대답하자 삼촌도 피곤함이 싹 가셨어요.

"저는 장난감을 움직이는 전동기의 원리로 KTX가 움직인다는 게 정말 신기했어요."

"저는 기차와 기차역에 다양한 디자인이 있다는 것을 처음 알았어요. 나중에 저도 꼭 기차를 디자인해 볼 거예요."

삼촌은 미래와 기찬이가 기차에 푹 빠진 것 같아 뿌듯했어요. 그래서 미래와 기찬이에게 다음 방학 때도 같이 기차 여행을 가자고 했어요.

"와, 좋아요! 지금부터 열심히 공부해서 엄마에게 꼭 허락 받을래요."

기찬이의 말에 미래가 **코웃음**을 쳤어요.

"칫, 기찬이 네가? 매일 게임만 하면서?"

"흥, 무시하지 마. 나도 마음만 먹으면 성적 올릴 수 있다고!"

미래와 기찬이가 서로 핀잔을 주자, 삼촌이 끼어들었어요.

"그러다 또 싸우겠다. 기찬이도 미래도 열심히 공부해서 다음에도 삼촌과 꼭 같이 여행을 가자꾸나."

그러자 기찬이가 삼촌의 손을 꼭 잡더니 말했어요.

"삼촌, 그전에 먼저 아이스크림 사 주셔야죠. 약속했잖아요. 우리가 기차 바퀴가 돌아간 횟수를 맞히면 사 준다고."

기찬이의 말에 삼촌이 껄껄 웃었어요.

"그래! 자, 삼촌 팔에 매달려서 아이스크림 먹으러 갈까?"

"네!"

기찬이와 미래는 신나서 삼촌 팔에 껑충 뛰어올랐어요.

4학년 2학기 수학 2. 수직과 평행

Q | 평행선은 무엇일까?

A | 서로 만나지 않는 두 직선이나 평면을 평행이라고 한다. 그리고 같은 평면 위에 있는 둘 이상의 평행한 직선을 평행선이라고 한다. 기차의 레일은 서로 만나지 않는 평행선이다. 기차역에서 선로를 보면 레일 두 개가 점점 좁아지다가 결국에는 끝에서 붙어 버리는 것처럼 보이는데, 실제 모든 곳에서 레일 두 개 사이의 간격은 같다.

3학년 1학기 수학 5. 시간과 길이

Q | 9시 40분부터 11시 10분까지 집에서 청소했다면 총 몇 시간 몇 분 걸린 걸까?

A | 청소를 마친 시간인 11시 10분에서 시작 시간인 9시 40분을 빼면 된다. 11시를 10시로 고치고, 10분에 60분을 더해 10시 70분으로 고쳐서 빼면 1시간 30분이 된다. 이것을 식으로 나타내면 아래와 같다.

11시 10분 − 9시 40분 = 1시간 30분

즉 청소하는 데 걸린 시간은 1시간 30분이다.

시각과 시간을 구별하기도 하는데, 시각은 어느 한 시점을 나타내고, 시간은 어떤 시각에서 어떤 시각까지의 사이를 나타낸다. 예를 들어, 수업이 시작된 시각은 9시, 끝난 시각은 9시 50분이면 여기서 시각은 9시와 9시 50분이고, 시간은 수업을 한 50분을 말한다.

3학년 1학기 수학 5. 시간과 길이

시속 160km를 초속으로 바꾸면 얼마일까?

1분은 60초이고, 1km은 1,000m이다. 속력은 일정한 시간 동안에 이동한 거리를 말하고, 속력의 단위는 m/s, km/h 등이다. 속력은 이동 거리를 걸린 시간으로 나누어 구한다. 시속 160km는 1시간 동안 160km의 거리를 이동했다는 의미이다. 1시간은 60분이고, 60분은 3,600초이다. 그리고 160km를 m단위로 바꾸면 160에 1,000을 곱해 160,000m이다. 따라서 시속 160km를 초속으로 바꾸면 $\frac{160,000m}{3,600s}$ = 44.4……이므로, 초속 약 44m이다.

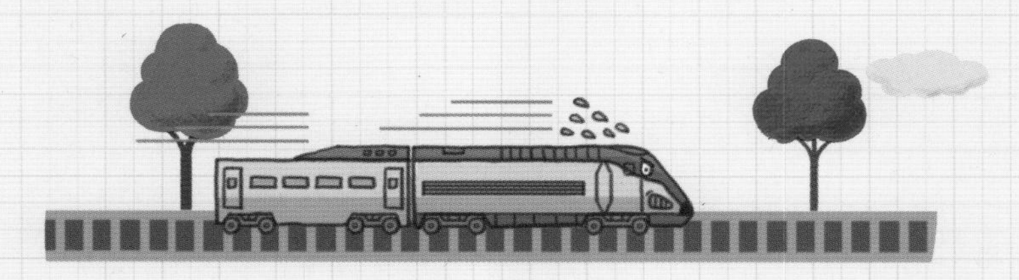

KTX는 왜 모든 역에 서지 않을까?

KTX가 정차했다가 다시 출발할 때는 속력을 다시 높여야 한다. 만약 KTX가 지금보다 더 많은 역에 정차하려면 KTX는 더 자주 속력을 높이고 줄이는 일을 반복해야 하는데, 그러면 최고 속력으로 달릴 수 있는 거리가 짧아져서 결국 평균 속력이 느려진다. 결국 많은 역에 서면 KTX는 일반 열차와 걸리는 시간에 별 차이가 없을 것이기 때문에 일부 역에만 서는 것이다.

핵심 용어

감성 공학
감성과 공학이라는 두 분야가 통합되어 생긴 융합 과학의 한 분야.

나침반
자석으로 된 바늘이 남북을 가리키는 성질을 이용하여 방향을 알 수 있게 만든 도구.

디젤 기관
연료의 화학 에너지를 바꿔 기계를 움직이는 장치로, 엔진이라고도 함. 독일의 기술자 디젤이 발명함.

디젤 기관차
디젤 기관을 동력으로 하는 기관차.

디젤 전기 기관차
디젤 기관 동력과 전기의 힘으로 움직이는 기관차.

마찰 전기
서로 다른 두 물체가 마찰할 때 생기는 전기. 전자가 이동해서 생김.

발전기
전자기 유도 현상을 이용해 전기를 만들어 내는 장치. 운동 에너지를 전기 에너지로 바꾸어 주는 장치.

변전소
전압이 높은 전류를 사용하기에 적당한 전압으로 바꾸어서 내보내는 시설.

산업 혁명
18세기 중엽에 영국에서 시작해 전 유럽에서 약 100년 동안 일어난 생산 기술과 그에 따른 사회, 경제 구조의 변화.

속력
일정한 시간 동안에 물체가 이동한 거리로, 이동 거리를 걸린 시간으로 나눈 값.

수직
직선과 직선, 직선과 평면, 평면과 평면 따위가 서로 만나 90°의 각을 이루는 상태.

원주
원의 둘레의 길이.

인공 어초
바다 생물들이 살 수 있는 환경을 만들어 주기 위해 콘크리트 구조물이나 낡은 배 등을 바닷속에 넣어 놓은 것.

자기력
자석끼리 서로 끌어당기거나 밀어내는 힘, 또는 자석이 금속 물체를 끌어당기는 힘. 다른 극끼리는 서로 끌어당기고 같은 극끼리는 서로 밀어냄.

자기 부상 열차
자기력을 이용하여 차량을 공중에 띄워서 달리는 열차.

자기장
자석의 주위나 전류가 통하는 물건 주위, 지구의 표면과 같이 자기력이 미치는 공간.

장대 레일
표준 레일을 여러 개 이어서 200m 이상으로 길게 만든 레일.

전기 기관차
전기의 힘으로 움직이는 기관차.

전동기
모터라고도 하며, 전류가 흐를 때 전자석이 되는 성질을 이용하여 회전할 수 있게 만든 장치. 전기 에너지를 운동 에너지로 바꾸어 주는 장치.

전류
전기가 흐르는 것.

전선
전기가 흐르게 만든 줄.

전자기 유도 현상
코일 주변에서 자석을 움직일 때 코일에 전류가 흐르는 현상.

전자석
전류가 흐를 때만 자석이 되는 일시적인 자석.

증기 기관차
석탄을 태워 물을 끓여서 나오는 증기의 힘으로 움직이는 기관차.

지름
원이나 구에서 중심을 지나는 직선.

평균 속력
물체가 한 지점에서 다른 지점으로 이동할 때 속력이 일정하지 않은 경우 두 지점 사이의 거리를 걸린 시간으로 나누어 구한 속력.

평행
두 개의 직선이나 두 개의 평면이 나란히 있어서 아무리 연장해도 서로 만나지 않는 것. 평행인 두 직선을 평행선이라고 함.

회생 브레이크
기차의 운동 에너지를 전기 에너지로 바꾸면서 동시에 생산된 전기를 회수하며 기차를 멈추게 하는 방식.

일러두기

1. 띄어쓰기는 국립국어원에서 펴낸 「표준국어대사전」을 기준으로 삼았습니다.
2. 외국 인명, 지명은 국립국어원의 「외래어 표기 용례집」을 따랐습니다.